北村薫と有栖川有栖の名作ミステリーきっかけ大図鑑

ヒーロー＆ヒロインと謎を追う！

第2巻 凍りつく！ 怪奇と恐怖

日本図書センター

この本の見かた

海外と日本の名作ミステリーの中から選んだヒーロー、ヒロインと、その物語を、見開き2ページで紹介していきます。

●マーク
ヒーローは、窓辺に立つ男性の影が、ヒロインは、女性の影が描かれています。

●タイトル
物語の作品名と取り上げたヒーロー、ヒロイン名がわかります。

●ヒーロー、ヒロイン
物語の登場人物のひとりをヒーロー、ヒロインとして選び、作品世界へとナビゲートします。

●人物紹介
ヒーロー、ヒロインの境遇や性格の特長などがわかります。

●プロフィール
物語から読みとれるヒーロー、ヒロインの暮らしぶりや性格、物語の舞台などの情報を伝えます。

●あらすじ
作品のあらすじを簡潔に紹介します。※「ネタばれ」はありません。

●作品
作品名、作家名、初出、出典の情報です。

●主な登場人物
ヒーロー、ヒロインと関わり、物語を彩る主な登場人物です。

●コラム
作者の生涯や、その作品世界を紹介します。

●注
むずかしいことばの説明や、内容の補足をします。

●名場面
作品の中の出来事の1シーンを、状況の説明とイラストで紹介します。

●引用
名場面に関わる一文を出典作品より引用して紹介します。

本書について

＊本書に掲載するイラストは、原作を参考にして、イラストレーターがそれぞれイメージし、新たに描いたものです。
＊作品のタイトルや登場人物の名前、引用文は、巻末に掲載の典拠資料を参考にしています。

＊原則として本文は、すべての漢字に読みがなを付け、現代かなづかい、現代送りがなを使用しています。
＊書名・作品名は『 』、新聞・雑誌名・映像作品名・シリーズ名は「 」を用いてあらわしました。また、書名・作品名にはできるだけ初出年を記しました。
＊本書は、一部に今のわたしたちが使うべきではない差別的な語句や表現がありますが、作者の生きた時代や作品の芸術的価値を考えて、原文のままとしています。

〈名作ミステリーへの招待状 2〉
はじめに —— 名探偵を見つけよう！ 有栖川有栖 4

もくじ

わたし『おとし穴と振り子』.................. 6
作者：E・A・ポー／イラスト：内山大助

ヘンリー・ジーキル『ジーキル博士とハイド氏』.................. 8
作者：R・L・スティーヴンソン／イラスト：オオシマソウスケ

ドラキュラ『吸血鬼ドラキュラ』.................. 10
作者：B・ストーカー／イラスト：西野由希恵

透明人間『透明人間』.................. 12
作者：H・G・ウェルズ／イラスト：KASHU

信号手『信号手』.................. 14
作者：C・ディケンズ／イラスト：中野耕一

ホワイト氏『猿の手』.................. 16
作者：W・W・ジェイコブズ／イラスト：つだなおこ

ウィリアムズ『銅版画』.................. 18
作者：M・R・ジェイムズ／イラスト：橋本京子

わたし『ダゴン』.................. 20
作者：H・P・ラヴクラフト／イラスト：岩田健太朗

アン・ブルースター『B13号船室』.................. 22
作者：J・D・カー／イラスト：苗村さとみ

わたし『南から来た男』.................. 24
作者：R・ダール／イラスト：新倉サチヨ

フォスティーナ・クレイル『暗い鏡の中に』.................. 26
作者：H・マクロイ／イラスト：つだなおこ

父さん『ロケット・マン』.................. 28
作者：R・ブラッドベリ／イラスト：佐川明日香

お雪『雪女』.................. 30
作者：小泉八雲／イラスト：大島加奈子

自分『夢十夜』第五夜 32
作者：夏目漱石／イラスト：いずみ朔庵

山の神『遠野物語』第九十一話 34
作者：柳田国男／イラスト：くまのまりこ

彼『鏡地獄』.................. 36
作者：江戸川乱歩／イラスト：オオシマソウスケ

平松正四郎『その木戸を通って』.................. 38
作者：山本周五郎／イラスト：大島加奈子

僕『くだんのはは』.................. 40
作者：小松左京／イラスト：石川あぐり

収録作品・作家関連年表 42

名作ミステリーに挑戦しよう！ 読書案内 44

さくいん 46
典拠資料一覧 47

3

名作ミステリーへの招待状 2

はじめに──こわがりながら楽しもう！

有栖川有栖（作家）

◆人間の感情で最強なのは「恐怖」？

人間のさまざまな感情をひとまとめにして喜怒哀楽（喜び、怒り、さびしさや悲しさ、楽しさ）といいますが、ひとつ大事なものが抜けていると思いませんか？　それは、恐怖です。

アメリカの作家、H・P・ラヴクラフトは、こんなことを書いています。

「人間の感情の中で、なによりも古く、なによりも強烈なものは恐怖である」

友だちと遊んで楽しんだり喜んだり、喧嘩をして怒ったり悲しんだりということは、大昔からあったでしょう。うんと時間をさかのぼり、人間がまだことばをしゃべれなかった時代にも「楽しいなあ」とか「腹が立つ」と思ったでしょうが、いちばん強かったのは、雷鳴や暴風を前にしたり、夜の闇の底に危険なものがいるような気配を察知したりしたときに感じる「こわい！」だったはず、とラヴクラフトはいうのです。なるほど、そうかもしれません。

『吸血鬼ドラキュラ』

『透明人間』

◆こわがる能力をもっと磨こう！

人間も動物ですから、生存本能が備わっています。高度に知能が発達しているため、ほかのどんな動物よりもしっかりと生きのびるためには、身の危険を避ける行動を取らなくてはならず、そのためにはとにかく早く危険を感知しなくてはなりません。わたしたちは、こわがる能力がもっとも高い動物なのです。

そんな人間は、物語を心の糧として生きてきました。読書や映画、ドラマが好きだとか嫌いだとかいう個人の趣味があるにしても、「あれは、こういうことだったのかなあ」「もし、こうなったら」と想像しない人はおらず、それも広い意味で物語なのです。だとしたら、こわがるのが得意なわたしたち人間が恐ろしいお話に引き寄せられないわけがありません。

ということで、この第2巻ではみなさんに恐怖の物語をたくさん味わっていただきましょう。「むごたらしいお話だからこわい」といった安っぽい物語はひとつもありませんからご安心

『ダゴン』

『おとし穴と振り子』

を。人間は、恐怖に押し流される動物ではなく、それを愛や知恵や勇気で乗りこえられるばかりか、そこから「こわくてどきどきする物語」を創造して楽しめる動物でもあるのです。人間って、すごい。

◆こわい、けど、見たい、知りたい

恐怖について語った前記のラヴクラフトのことばは、こう続きます。

「その中で、もっとも古く、もっとも強烈なのが未知のものに対する恐怖である」

どれぐらい危ないかわかっている相手より、どれぐらい危ないかもわからない未知のものがもっともこわい。これもそうかもしれませんね。

ところがおもしろいことに、未知のもの（説明がつかない怪奇で幻想的な現象を含みます）への恐怖は、人間にとって興味やあこがれの対象にもなりうるのです。「こわいけど見てみたい。感じてみたい。体験してみたい」と。心の中を探ってみたら、そんな気持ちが見つかるのではありませんか？

たとえば、吸血鬼なんていうものがほんとうにいたら大変ですが、コウモリに変身して夜空を飛ぶドラキュラは魅力的で、ロマンチックでもあります。B・ストーカーの『吸血鬼ドラキュラ』で、闇に生きる危ないヒーローと出会ってみてください。

◆物語の世界を旅して想像力をたくましく

透明人間になったらなにがしてみたいですか？　楽しいことがいろいろありそうですが、実はいいことばかりではありません。H・G・ウェルズの『透明人間』を読めば、思いもかけなかった不思議な体験ができます。

ラヴクラフトの『ダゴン』は、壮大な広がりをもつ暗黒神話の一エピソード。人間より前に地上を支配したいまわしい存在がいて、今でもときに姿を現すのです。

小泉八雲の『雪女』や柳田国男の『遠野物語』といった日本人の「恐怖・怪奇・幻想のふるさと」もご紹介します。

恐怖・怪奇・幻想の物語。それは、わたしたちを引きつけ、こわがりながら楽しませるだけのものではありません。物語をとおして現実から離れた世界を旅することであなたの想像力はたくましくなり、現実をより豊かに見られるようになるでしょう。

『鏡地獄』

『雪女』

『遠野物語』

5

『おとし穴と振り子』
わたし

「わたし」はとらわれの身です。異端審問で死刑の判決を受けた「わたし」は、気絶して意識を失います。気づいたときは地下牢の中にいて、そこで地獄のような苦しみを味わいます。その記憶をできるだけ理性的に書きとめることにします。

プロフィール

- ◆ 出身：不明。
- ◆ 現在の立場：ローマ・カトリック教会に反抗する「異端者」。
- ◆ 外見の様子：囚人服を着せられ、長く拷問を受けたので疲れきっている。
- ◆ 物語の時代：スペインの主要都市に異端審問所が置かれていた時代。
- ◆ 物語の舞台：スペインの中央に位置する都市トレドの異端審問所。
- ◆ 性格：絶望的な状況のなかでも、なんとか生きのびたいという執念があり、地下牢の大きさや形を調べようとする好奇心をもつ。窮地に追いこまれても機転がきく。

あらすじ　処刑のためのさまざまなしかけ

　ローマ・カトリック教会に反抗する「異端者」として長く拷問を受けた「わたし」は、気を失いかけていました。しかし、異端審問官たちからの死の宣告だけは、はっきりと聞き、そのまま気絶してしまいます。目覚めたときは、まっ暗な地下牢の中でした。死刑を宣告されると火あぶりの刑になるのが普通です。もしかしたら、数カ月後に予定されている次の死刑執行まで、このままほうっておかれるのか、それとも、もっとむごたらしい方法で処刑されるのだろうかと考え、「わたし」は、また気を失ってしまいます。
　次に目が覚めたとき、「わたし」は地下牢の大きさや形を確かめようとして闇の中を歩きまわりますが、転倒してしまい、その際に地下牢の中央に落とし穴があることに気づきます。異端者として死の宣告を受けた者は、肉体的な苦しみをともなった死か、じわじわと精神的な苦しみを加えていく死かの、いずれかの方法で始末されるのです。「わたし」は、どうやらあとのほうに選ばれたらしいと察します。そして、「わたし」をじわじわと精神的に追いつめるための恐ろしいしかけが次々と襲ってくるのでした。

異端審問官たち
黒衣を着て、白くうすいくちびるをしている。「わたし」には、そのうすっぺらなくちびるが、人の苦しみをバカにしてかかっているように見える。

ラサール将軍
フランス革命軍の軍人。数々の戦いで活躍し、ナポレオン1世からあつい信任を得ていた。スペインには1808年に攻めこむ。

作品名：『おとし穴と振り子』　作者：エドガー・アラン・ポー　初出：アメリカの雑誌「ザ・ギフト」1843年、年末・新年号に発表　【本作の出典】『黒猫・黄金虫』（松村達雄・繁尾久訳、講談社、2010年）

せまり来る死の恐怖のなかでもがくヒーロー

天井板には、人間の姿をかたどった、あの「時」がえがかれていた。

わたし

「わたし」は低い木の台に仰向けに寝かされ、長いひもで、ぐるぐる巻きにされていました。天井板には「時の翁」と呼ばれる老人の絵が描かれていますが、奇妙なことに普通は大鎌があるはずのところに、巨大な振り子が描かれていました。よく見ると、その振り子は絵ではなく振り子そのもので、しかも、下側の縁は、かみそりのように研いだ、三日月形のはがねになっていて、しゅっ、しゅっと空気を切るように揺れています。その振り子がゆっくりと「わたし」に向かっておりてきているのに気づいたとき、「わたし」は恐怖の底につき落とされました。

作者のエドガー・アラン・ポーについて

＊第3巻10〜11ページも参照。

1809年、アメリカのボストンに生まれる。両親は旅まわりの俳優だったが、父親が失踪し、母親が若くして亡くなったため、煙草商人のアラン家に引き取られた。大学に進学し、詩や古典文学などに傾倒するが、一方で賭けごとなどに明け暮れ、中退する。その後、士官学校などを経て、雑誌や新聞の編集者となり、詩や小説を多く執筆した。推理小説のはじまりといわれる『モルグ街の殺人』（1841年）や、のちに代表作となる『黄金虫』『黒猫』（ともに1843年）などを発表するが、原稿料はわずかだった。貧困に苦しみながら酒や阿片におぼれ、異常な精神状態のなかで暗い世界を書き続けた。1849年、酔って倒れているところを発見され、病院に運ばれるが死去。40年の生涯を閉じた。

エドガー・アラン・ポー

※1 異端審問とは、中世から始まった、ローマ・カトリック教会が教会を頂点とする世界統一国家を作り上げるために行った、「異端者」を取り締まる制度。ヨーロッパ全土に広まり、だんだん厳しい拷問が行われるようになった。

7

『ジーキル博士とハイド氏』
ヘンリー・ジーキル

わたしは、ヘンリー・ジーキルです。医学博士、民法博士、法学博士、王立協会員など、さまざまな肩書をもっています。新聞にも名前がたびたび載るので、ロンドンではちょっとした有名人です。

プロフィール

- **年齢**：50歳。大金持ちの相続人として生まれた。
- **外見**：大柄。立派な体格をもっており、才能と、善意にあふれた雰囲気がある。
- **現在の住まい**：ロンドンの古い屋敷町の一角、多くの家が落ちぶれてアパートと化したなかで、個人の家として昔ながらの格を保った立派な邸宅。
- **性格**：すぐれた才能と勤勉な性質をもつ一方、高慢で、人の前では体裁を作りたがる傾向があり、素直に生きられない。
- **趣味**：化学実験。庭の奥にある、かつては解剖室だった建物の中で実験を行っていた。多くの時間を過ごしている書斎は、実験室の2階にある。

あらすじ　ハイド氏とは何者なのか？

弁護士のアタスンは、古い友人であるジーキル博士から遺言状を預かっていました。しかしその内容はとうてい納得できるものではなく、むしろ不快感をいだいていました。預かることは引き受けたものの、作成を依頼されたときははっきりと断った遺言状。そこには、ジーキル博士が死亡した場合、「友人で恩人でもあるエドワード・ハイド」に財産のすべてを譲ると書かれていたのです。ハイド氏がいったい何者なのか、さっぱりわからないことにもアタスンは怒りを覚えていました。ところが、友人のエンフィールドが目撃した事件から、ハイド氏がとんでもない人物であることがしだいにわかってきます。彼を見た誰もが嫌悪感を覚える、霧のなかにひそむ悪魔のような小男、エドワード・ハイド。そんな男に、ジーキル博士はなぜ全財産を与えようとするのか。弱みでもにぎられているのだろうか。困っている人を見捨ててはおけない性格のアタスンは、ハイド氏の正体を突き止めようと決心しますが、逆にジーキル博士からハイド氏の権利の弁護を託されます。それから1年後、恐ろしい殺人事件が起こります。

アタスン
弁護士。やせて背が高く、陰気だが、どこか人に好かれるタイプ。困っている人を助けることも多い。

ハイド
ジーキル博士の遺産相続人。小男で、人を嫌悪させるような醜い顔をもつ。

リチャード・エンフィールド
アタスンの友人。ロンドンでは名高い道楽者。ある冬の夜、ハイドと名乗る青年の卑劣な振る舞いを目撃した。

ラニョン
医師。アタスンとジーキルの古い友人。ジーキルが突拍子もないことを言い出すようになった10年前ごろからは、めったに会わなくなっている。

作品名：『ジーキル博士とハイド氏』　作者：ロバート・ルイス・スティーヴンソン　初出：イギリスとアメリカで1886年に発表　【本作の出典】『ジーキル博士とハイド氏』（海保眞夫訳、岩波少年文庫、2002年）

「わたしはただ彼の権利を守ってほしいといってるだけなんだ。わたしがこの世を去ったとき、わたしのためと思って、彼を助けてやってくれ。」

　ジーキルが催したパーティーが終わりかけたころ、アタスンは「遺言状のことで話したい」と切り出します。ジーキルは不愉快さをかくして陽気な口調で受け流し、困った依頼人をもつアタスンをまるで他人ごとのように気の毒がりました。しかし、アタスンがハイドのことを口にすると、ジーキルは目に険しい表情を浮かべ、心配してくれるアタスンに感謝はするものの、個人的なことだと詳しい事情は話しません。ただ、自分にもしものことがあったらハイドの権利を守ってくれと頼みます。納得がいかないながらも、アタスンは約束をしてしまうのでした。

作者のロバート・ルイス・スティーヴンソンについて

R・L・スティーヴンソン

　1850年、スコットランドの中心都市エディンバラに生まれる。家は地元の名家で、聖書の教えに基づいて厳格に育てられた。大学で法律を学び、弁護士の資格を得る。幼いころから病弱で、保養のため、フランスなどを旅しながら紀行文を書いた。1879年にアメリカに渡り、翌年に結婚。帰国後は文筆活動に専念し、1883年に出版した冒険物語『宝島』で作家としての地位を確立した。
　世界中を旅したのち、1894年、サモア諸島に滞在中に44歳の若さで亡くなっている。小説だけでなく、詩、戯曲、エッセイなど多くの分野で活躍した。
　『ジーキル博士とハイド氏』は、ひとりの人間の裏表、相反する二面性を表現する代名詞としてよく引用され、映像作品も多数ある。

※1　ジーキル博士はジキル博士と訳されることが多いが、作者自身が「Jekyllのeは長母音」と語っているため、あえてジーキルとしたと訳者は述べている。

『吸血鬼ドラキュラ』
ドラキュラ

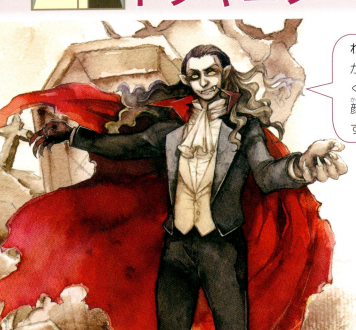

わたしは、ドラキュラ。
がけの上の古いお城で暮らしています。顔は白く、赤いくちびるの両端に鋭い牙のような歯が目立つ、不気味な顔立ちをしています。血を見るととたんに乱暴になりますが、十字架に触れると逆におとなしくなります。

プロフィール
- 居住地：ルーマニアのトランシルバニア地方にある古城。
- 家族：家族はいないが、3人の若い女性と一緒に暮らしている。
- 寝室：礼拝堂の地下にある棺。
- 習慣：夜な夜な窓からはい出して出かけること。
- 特技：あやしい術を使ってなににでも化けられる。
- 好きなもの：血。
- 苦手なもの：十字架。

あらすじ ドラキュラ伯爵の正体とは？

イギリスの法律事務所に勤めるジョナサンは、イギリスで家を買いたいというドラキュラ伯爵の依頼で、ルーマニアの山奥、トランシルバニアの城を訪れます。城内で仕事をしながら過ごすうちに、伯爵が普通の人間ではないことに気づいたジョナサンは、とらわれの身となってしまいます。

そのころイギリスでは、ジョナサンの婚約者ミナの友人ルーシーが、原因不明で弱っていくという事態が起きていました。ルーシーの首には針で刺したようなふたつの傷跡。治療をしていたセワードは、恩師のバン・ヘルシング教授に助けを求めます。ただの病気ではないと確信した教授が治療を試みますが、ルーシーは息を引き取り、埋葬されました。すると彼女の墓地の周辺で奇妙な事件が発生します。そのことを知った教授は、ある夜、セワードにルーシーの棺を開けさせます。なんと中は空っぽ！ 教授の説明によると、ルーシーは不死者（吸血鬼）となっていたのです。このことは、ジョナサンがルーマニアで体験したことと深く関わっていました。教授の指揮で、彼女にこのようなむごい仕打ちをしたものの正体を突き止めるための戦いが始まります。

ジャック・セワード
ロンドンの精神病院の院長。アーサーの友人で、ルーシーの求婚者のひとり。アーサーの依頼でルーシーの治療にあたる。

キンシー・モリス
アメリカ出身の青年。アーサーとセワードの友人で、ルーシーの求婚者のひとり。ルーシーの病状を知って駆けつけ、吸血鬼退治にも参加する。

ルーシー・ウェステンラ
アーサーの婚約者。同時にセワード、モリスからも求婚されていた。からだは健康だが、小さいときから夢遊病を患っていた。

アーサー・ホルムウッド
ルーシーの婚約者。病気の父親がいる。吸血鬼退治に参加する。

エイブラハム・バン・ヘルシング教授
セワードの恩師でアムステルダム大学教授。ルーシーの衰弱の原因をいち早く見抜く。吸血鬼退治の指揮をとる。

作品名：『吸血鬼ドラキュラ』 作者：ブラム・ストーカー 初出：イギリスで1897年に発表 【本作の出典】『吸血鬼ドラキュラ』（瀬川昌男訳、金の星社フォア文庫、1999年）

……その伯爵は、ジョナサンの顔から流れだしている血をみて、きゅうに、目をらんらんとかがやかせ、いきなりジョナサンにとびかかってきたのである。

ミナ（ウィルヘルミナ・マリー）
ジョナサンの婚約者で、のちに結婚。ルーシーの幼なじみ。ジョナサンのルーマニアでの体験を知り、吸血鬼退治に協力する。

ドラキュラ

ジョナサン・ハーカー
仕事でドラキュラ伯爵の城を訪れ、恐ろしい体験をし、日記を書いた。イギリスに帰国後は、それがほんとうにあったことなのか、それとも自分の頭がおかしくなったのか悩むようになる。

人の生き血を求めて闇をさまようアンチ・ヒーロー

ジョナサンは、しだいに伯爵の暮らしぶりを不思議に思うようになります。伯爵はジョナサンに、ものを食べたり飲んだりする姿をけっして見せないのです。また、城の中には鏡がひとつもないことも気になっていました。ある日の夜明け前、ジョナサンは自分の小さな手鏡を使ってひげを剃っていました。すると突然、「おはよう！」という伯爵の声がしました。ジョナサンはびっくりして飛び上がります。なぜなら、鏡には伯爵の姿がまったく映っていなかったのです。おどろいた拍子にかみそりで顔を切ったジョナサンを見て、伯爵の態度が変わります。

作者のブラム・ストーカーについて

1847年、アイルランドのダブリンに生まれる。16歳のとき、ダブリン大学トリニティ・カレッジに入学後、芝居に夢中になり、名優ヘンリー・アービングと知り合う。卒業後はアービングのいる劇団で仕事をするようになる。仕事のかたわら、短編や長編小説を新聞や雑誌に発表。カレッジの先輩レ・ファニュの吸血鬼物語『カーミラ』（1871～72年）の影響を受け、20年以上の歳月をかけて、1897年、『吸血鬼ドラキュラ』を完成させた。作品は劇場でも上演されるヒット作となり、現在もホラー小説の古典のひとつとされている。アメリカには、ホラー作家協会が主催する、その年に出版の最優秀ホラー小説に贈られる「ブラム・ストーカー賞」（1988年創設）がある。1912年に、64歳で死去。

ブラム・ストーカー

※1　ドラキュラ伯爵のモデルは、15世紀に実在したワラキア公国のヴラド3世といわれる。反トルコ十字軍の将軍として活躍する一方で残虐な行為を好んだと伝わる。トランシルバニア地方の伝承などと結びつけ吸血鬼像が創作された。

11

『透明人間』
透明人間

わたしは、透明人間。
科学者です。あらゆるものを透明にする方法を発明して、透明人間になることができましたが、不便なこともいっぱいあります。もとに戻る方法をなかなか見つけることができず、心がすさみ、人に迷惑をかけてしまいます。

プロフィール

- **本名**：グリフィン。
- **職業**：科学者。学生時代は医学を志していたが、その後物理学に興味をもち、光の密度の研究に熱中。
- **持ち物**：実験装置や器具、トランク2個、本箱、10個以上の木箱、カゴ、かばん。
- **学生のころ**：身長180cm。髪や顔が白っぽく、肩幅があって、ピンク色の顔に赤い目をしていた。化学で優秀賞のメダルを取ったこともある。
- **現在の姿**：ぶあつい手袋をはめ、頭のてっぺんからつま先まで、すっぽりと服に包まれている。フェルト帽のつば、ゴーグルのようなメガネで顔が隠れている。
- **性格**：気まぐれで、世間とのつきあいを好まず、荒れくるうと物を割ったり、壊したりする。なにかの怒りをかかえているような様子。
- **物語の舞台**：その年最後の大雪となった2月のアイピング村。

あらすじ 田舎町を恐怖に陥れた謎の男

雪が降る2月のある日、アイピング村の宿屋「駅馬車亭」にひとりの男がおり立ちました。顔の下半分を白いハンカチでおおい、青レンズの大メガネをかけ、ピンク色のとがった鼻先をした男は、宿屋の夫妻や村の人たちにあやしがられます。彼は科学者だと名乗り、宿屋に実験装置をたくさん持ちこんで、なにかの実験をしていました。彼は、世間づきあいが好きではなく、宿屋でもなにかといざこざを起こし、そのたびに余分に宿代を払っていました。しかし、4月になると未払いの宿代がたまってきました。
聖霊降臨節の前日、バンティング牧師の館に泥棒が入りますが、人の気配はあるのに、どんなに探しても犯人を見つけることはできませんでした。そして、聖霊降臨節の日、宿代のことでもめた男は、自ら帽子を脱ぎ、顔に巻いていた包帯などを取って正体を現します。あとで男は脱ぎ捨てた洋服と大切な研究ノートを取り返すため、浮浪者トマス・マーベルをおどして取り戻させ、大あばれして村を去っていきました。その後、透明人間はバードックの町で大学時代に仲間だった医師ケンプ博士と出会い、彼に助けを求めようとします。

トマス・マーベル
浮浪者。透明人間におどされて、いろいろと手伝わされる。のんびり屋。

ケンプ博士
学生時代の友人。透明人間となった彼と再会し、自分の寝室を貸す。

カス
医者。透明人間に興味をもち、看護婦を村に呼ぶための署名と寄付を求めることを口実に宿屋をたずねる。

バンティング牧師
人のよい牧師。カスから透明人間の正体を見たと打ち明けられる。

作品名：『透明人間』　作者：ハーバート・ジョージ・ウェルズ　初出：イギリスで1897年に発表　【本作の出典】『透明人間』（雨沢泰訳、偕成社文庫、2003年）

12

人間を透明化する技術を自分に試したヒーロー

「おれがだれで、どんな人間か、おまえたちにわかるわけがない。見せてやるとも。おどろくなよ！ さあ、見るがいい。」

テディ・ヘンフリー
町の時計屋。生まれつき、好奇心が強い。「駅馬車亭」の古時計を修理する。

ホール
「駅馬車亭」の主人。

ジャファーズ巡査
透明人間を逮捕しようとする。

サンディ・ウォジャーズ
町の鍛冶屋。

フィアランサイド
馬車の御者。飼い犬が透明人間を噛んだ。

ホール夫人
「駅馬車亭」のおかみ。口やかましいが、常識ある人柄。

透明人間

聖霊降臨節の正午ごろ、男が宿屋の酒場に現れました。朝食を運んでこないことに怒る男に対して、ホール夫人は、たまっている宿代を請求し、これまで疑問に思っていたことをたて続けに問いただします。すると男は「だまれ！」とはげしく怒り、顔の前で手を広げて、さっとなにかを取り去りました。顔のまん中には、黒い穴があいていました。「ほおら。」と男が差し出したものをつい受け取ったホール夫人は、それをひと目見るなり、きゃあと悲鳴をあげて床に落としてしまいました。それは、つやつやしたピンク色の男の鼻だったのです。

作者のハーバート・ジョージ・ウェルズについて

1866年、ロンドン近郊のケント州ブロムリーに生まれる。幼いころは、家が貧しくて苦労したが、図書館で借りた本を読み、豊かな知識を身につけた。反物商へ奉公に出るが、中学の補助教員となってから夜は学校で勉強ができるようになり、奨学金を得て理科師範学校（現在のロンドン大学）に入学。生物学に夢中になる。
卒業後、27歳で作家となり、『タイムマシン』（1895年）、『透明人間』『宇宙戦争』（1897年）など、のちにSFとか空想科学小説と呼ばれる分野※1の小説を多く発表し、ジュール・ヴェルヌとならんで「SFの父」と呼ばれた。
『世界文化史大系』（1919〜1920年）など文明批評の著作も数多くある。1946年、80歳で死去。

H・G・ウェルズ

※1 科学や産業技術が飛躍的に発展し始めた19世紀から20世紀はじめにかけては、現在、SFの古典と呼ばれるような作品が多く発表されている。

13

『信号手』
信号手

自分は、信号手です。
トンネルのそばの日当たりの悪い暗い小屋で、鉄道の信号手をしています。若いころは自然哲学を勉強しており、職場では語学や代数を勉強しました。責任ある仕事に満足していますが、最近、大きな悩みをかかえています。

プロフィール

- **仕事**：鉄道の信号の切りかえ、信号灯の点検と整備、鉄のハンドルをまわすこと。
- **容姿**：血色の悪い浅黒い顔をしており、黒いあごひげをのばしている。
- **性格**：まじめで、仕事ぶりはきびきびとしている。
- **苦手なもの**：トンネルの中。
- **最近の変化**：同じ幽霊を見るようになった。
- **悩みごと**：大事故を防ぐ方法がわからないこと。

あらすじ：幽霊はなにを告げようとしたのか

ある日、「わたし」が知り合った信号手は、世間話をするうちに悩みを打ち明けてくれました。それは1年前の夜のこと。彼は、見知らぬ男が「そこのきみ！　危ないぞ！」とトンネルのそばで右手をはげしく振っているのを目撃します。信号手は、なにかあったのかと思い、急いで近づいていきますが、そばまで行くと男は幽霊のようにトンネルの中へ姿を消してしまいます。そしてその6時間後、すぐ近くで大きな列車事故が起こり、死傷者がトンネルを通ってあの男が立っていた場所へ運びこまれていきました。さらにその半年後、再びあの幽霊のような男が現れた直後、トンネル内でまた事故が起こります。2度の出来事に信号手は、あの幽霊は事故を告げていたのだと確信します。

その幽霊が1週間前にまた姿を現し、「そこのきみ、危ない！　気をつけろ！」と信号手に向かって叫び続けるようになったというのです。小型ベルを鳴らすこともありますが、その音は信号手にしか聞こえません。幽霊は、信号手になにを伝えようとしているのでしょうか。そしてなぜ、信号手にだけ知らせようとしているのでしょうか。

幽霊
これまでに2度、列車事故の直前にトンネルの赤信号灯のそばに姿を現した。「気をつけろ！」と叫んだりベルを鳴らしたりするが、それは信号手にしか聞こえない。

わたし
道をたずねたことをきっかけに、信号手と知り合い、彼が大きな悩みをかかえていることを知る。

作品名：『信号手』　作者：チャールズ・ディケンズ　初出：イギリスの週刊雑誌「ALL the Year Round」1866年「クリスマス特集号」に発表　【本作の出典】『英米ホラーの系譜』（金原瑞人編、三辺律子訳、ポプラ社、2006年）

『どうした？　なにがあったんだ？　どこだ？』しかし、そいつはただ真っ暗なトンネルの前に立っているだけなんです。

幽霊の不気味な警告に頭を悩ませるヒーロー

　1年前の月夜のことです。「おーい！　そこのきみ！」とどなる声におどろいた信号手が外を見ると、知らない男がトンネルの入り口の赤信号灯のそばで左手を顔にあてて右腕をはげしく振っていました。まるで腕を振りまわして「そこをどいてくれ！」と言っているような身ぶりです。しゃがれたような声で「気をつけろ！　危ないぞ！」と叫び続ける男に向かって信号手が走って近づくと、男はトンネルの暗闇の中へ消えていきました。不思議に思った信号手は、トンネルの中を500メートルほど進みましたが、男の姿はどこにもありませんでした。

作者のチャールズ・ディケンズについて

　1812年、イギリスのポーツマス郊外に生まれる。海軍下級官吏の父の転勤でロンドンに移るが、父が破産し、ディケンズも12歳から靴墨工場で働く。学校教育も4年ほどしか受けられなかったが、速記術を習得して新聞記者になった。片手間で職場での見聞録を雑誌などに発表し、それらをまとめた『ボズのスケッチ』(1836年)が注目を浴びると、続けて発表した『ピクウィック・クラブ』(1836～37年)、初の長編小説『オリヴァー・ツイスト』(1837～39年)も大人気となり、ヴィクトリア朝時代を代表する小説家となる。ディケンズは、代表作『クリスマス・キャロル』(1843年)のように、ファンタジーや幽霊話のような作品も多く残しており、『信号手』もそのひとつといえる。1870年に死去。

チャールズ・ディケンズ

※1　作者は1865年に鉄道事故に巻きこまれた経験があり、それが本作に影響しているといわれている。
※2　『ボズのスケッチ』のほかの邦題には、『ボズのスケッチ集』『ボズの写生帳』などもある。

15

『猿の手』
ホワイト氏

わたしは、ホワイトです。ほがらかな妻と息子と、3人で幸せに暮らしています。インドに行ってみたいという夢はかないませんでしたが、今の生活に満足しています。しかし、願いをかなえてくれるという猿の手に興味をもちます。

プロフィール
- **住まい**：雨が降ると地面がぬかるむ通り沿いに貸家が2軒しかないようなへんぴなところ。
- **暮らし**：今の生活に満足しており、とくにかなえてほしい願いごとは思いあたらない。
- **家族**：妻と息子。
- **性格**：信じやすく、乗せられるとすぐにその気になる。
- **趣味**：チェス。息子とさすこともある。
- **やってみたいこと**：インドで古いお寺や行者、曲芸師を見ること。

あらすじ　猿の手がかなえた願いと代償

　ある雨の夜、ホワイト一家をたずねたモリス曹長は、自分が手に入れた、不思議な力をもつ猿の手について話し始めます。猿の手とは、3人の人間のそれぞれ3つの願いをかなえるよう、ある行者が呪文をかけたもので、「人の一生は定められたもので、さからうと悲惨なめにあう」という教えがこめられているといいます。最初に持っていた男性は3つ目の願いごとに死を望んだと重い口調で言い、モリス曹長は「これは焼いてしまったほうがいい」と暖炉にほうり投げますが、ホワイト氏はそれを拾い上げ、自分のものにします。

　モリス曹長が帰ったあと、ホワイト氏は半信半疑ながら試みに猿の手に200ポンドを授けてくれるよう、願いをかけます。しかし、その夜も翌朝もなにごともなく過ぎていき、夫妻は猿の手の話はでまかせだと思い始めていました。そんなやさき、ホワイト家に立派な身なりの男性がたずねてきます。そして、夫妻は思わぬ形で200ポンドを受け取ることになったのです。そのわけを知ってあまりのショックにホワイト夫人は悲鳴をあげ、ホワイト氏は気を失ってしまったのでした。

モリス曹長
お酒好きの退役軍人。ホワイト氏とは21年前、倉庫の小僧だったときからの知り合い。若いころから遠方をあちこち旅している。猿の手のミイラをほしがるホワイト氏に、捨ててしまうよう忠告する。

ホワイト夫人
ホワイト氏の妻。猿の手の力を軽々しく信じている夫を見て愉快な気分になる。「ひょっとして願いごとがかなうのでは」と思うが、結局、猿の手の話はモリス曹長のでまかせだと決めつける。

ハーバート
ホワイト夫妻の一人息子。願いごとをかなえてくれる猿の手の話を、あまり真に受けないほうがいいと思っている。

作品名：『猿の手』　作者：ウィリアム・ワイマーク・ジェイコブズ　初出：イギリスの雑誌「ハーパーズ・マンスリー」1902年9月号　【本作の出典】『怪奇小説傑作集1　英米編Ⅰ』（平井呈一訳、創元推理文庫、1969年）

それを合図に、「われに二百ポンドを授けたまえ」と、老人ははっきりした声で言った。

猿の手に願をかけて恐ろしい体験をするヒーロー

ホワイト氏

ホワイト夫人

ハーバート

ホワイト氏は、ポケットから猿の手を取り出してうさんくさそうに眺めますが、なにを願えばいいのか見当もつきません。するとハーバートはなかば冗談で、この家の借金をすべて払えるよう、200ポンドがほしいとお願いすることを提案します。その気になったホワイト氏が猿の手を高くかざすと、ハーバートはピアノの前に腰をおろし、でたらめに鍵盤をたたきます。その大音響に合わせてホワイト氏が願いのことばを発した瞬間、彼は叫び声を上げて床に猿の手を投げ捨て、いまわしそうに見つめました。手の中で猿の手が動いたというのです。

作者のウィリアム・ワイマーク・ジェイコブズについて

1863年、イギリスのロンドンで、サウス・デヴォン埠頭の埠頭監督を務める父のもとに生まれる。ロンドンの私立学校とカレッジを卒業後、郵便貯金局の公務員職についていたが、1896年に出版した短編集『Many Cargoes（多くの積荷）』が好評を博し、たて続けに発表した長編小説と短編集で人気を不動のものにした。

テムズ川の船着き場あたりの水夫たちの日常生活に興味をもち、そのありさまを題材に俗語を駆使した小説を多く残している。その大半はユーモラスな内容だが、『徴税所』（1902年）や『夜警譚』（1914年）といった怪奇ものも書いている。

小説を書く一方で、自分の作品の舞台化と演出に力をそそぎ、最初の舞台作品は1899年にロンドンで初演された。1943年、ロンドンで死去。

W・W・ジェイコブズ

17

『銅版画』
ウィリアムズ

わたしは、ウィリアムズ。
大学の美術館の責任者をしています。ロンドンの画商から受け取った銅版画。一見すると素人の作品のように見えるのに、なぜか高値がついています。不思議に思っていると、その絵に異変が現れます。

プロフィール
- 物語の舞台：20世紀前半のイギリス、カンタベリー学寮。
- 仕事：大学の美術館で、イギリスの風土を描いた絵や銅版画の収集を任されている。
- 住居：大学の寮内。
- 趣味：ゴルフ。
- 習慣：お茶や夕食の時間に、同僚たちとゴルフの話をする。
- 性格：友人も多く、社交的。冷静沈着な面もある。

あらすじ　平凡な銅版画に起こる怪現象

　大学の美術館に勤めるウィリアムズは、イギリスの風土を描いた作品をこつこつと集め、美術館の定評あるコレクションをさらに充実させてきました。ある日、ロンドンの画商ブリトネル氏から新しいカタログが届き、987番目の作品に注目するよう、手紙がそえられていました。ウィリアムズは、その作品を送ってもらうことにします。問題の絵は、前世紀風の荘園邸宅が正面から描かれた平凡な銅版画でしたが、なぜか高い値段がついています。ウィリアムズは、どこの屋敷か確かめてみることにし、大学の同僚たちにも順番にその絵を見てもらいました。そして、奇妙にも、時間がたつにつれ、絵に描かれている風景が変化していることに気づきます。最初はいなかった人物が描かれていたり、閉まっていた窓が開いていたりと、静止した風景の中でなにかが動いているのです。恐ろしいことに、ウィリアムズの使用人が目にしたのは、黒いマントの人物が子どもを抱きかかえて、屋敷から去っていく場面でした。調べていくうちに明らかになった、描かれた屋敷にまつわる因縁とは……。

ブリトネル
ウィリアムズの研究分野、地誌絵画の収集において定評のあるロンドンの画商。新しいカタログを送りつけ、その中のある作品に注目するよう勧める。

グリーン老人
学寮で長年会計係を務めている古株。絵に描かれた屋敷や、その家の家系についてのうわさを知っている。

アーサー・フランシス
荘園の領主で、絵の屋敷の持ち主。銅版画の素人画家としても有名。跡継ぎの幼い息子がゆくえ不明になり、その3年後、最後の作品を仕上げたあと、画室で死んでいるのが発見された。

ガウディ
由緒ある家系の最後の生き残りだったが、フランシスの領地で密猟していたために、領主の意向によって絞首刑になる。

作品名：『銅版画』　作者：モンタギュ・ローズ・ジェイムズ　初出：イギリスの怪奇小説集『好古家の怪談集』（1904年）に収録　【本作の出典】『世界の幻想ミステリー2　ザ・ミステリアス』（江河徹編、椋田直子訳、くもん出版、2008年）

不気味な銅版画にかくされた謎へせまるヒーロー

まちがいない。信じられないことだが、ぜったいにたしかだった。屋敷のまえの芝生のまんなかに、人物がひとり見える。五時に見たときは、人物などいなかったはずなのだが。

ウィリアムズ

　真夜中を過ぎ、寝室に移ろうとしたウィリアムズは、目に入った例の銅版画にあやうくろうそくを落としそうになりました。というのも、夕方に見たときにはいなかったはずの人物が描かれていたからです。その人物は、背中に白い十字架がついた奇妙な黒いマントを着ていて、屋敷のほうに入っていくところでした。ウィリアムズは、絵を向かいの部屋に運び、ロッカーに入れて鍵をかけました。そして、ベッドに入る前に、絵を手に入れてから起こった変化を書きとめ、書類に署名をしておきました。ウィリアムズは、なかなか寝つけませんでした。

作者のモンタギュ・ローズ・ジェイムズについて

M・R・ジェイムズ

　1862年、イギリスのケント州の学者の家に生まれる。幼いころからもの真似や文体の模写が得意で、神経質で空想好きな性格から少年期には幽霊小説に熱中した。ケンブリッジ大学を卒業後、中世の古文書や聖書などを研究し、学者として数々の業績を残した。またフィッツウィリアム博物館長を経て、ケンブリッジ大学の博物館長や副総長を務めた。

　1895年、研究のかたわらに執筆した怪奇小説『アルベリックの貼雑帖』を発表したところ、評判となり、幽霊小説の注文が殺到した。そののち『好古家の怪談集』をはじめ、3冊の作品集を出版し、その約40編の作品は、怪奇小説の古典として現在も高く評価されている。1936年に73歳で死去。

※1　銅版画とは、版画の技法のひとつで、版材に銅を用いる。写真技術が発達していなかった時代には、地誌的な風景などが銅版画で描かれた。

『ダゴン』
わたし

主人公は、「わたし」です。
「わたし」は、間もなく自らの命を絶とうとしています。お金もなく、苦しみを忘れさせてくれる薬もなくなり、これ以上生きてはいられないからです。死ぬ前に、「わたし」を苦しませてきた恐怖の体験を書きとめています。

プロフィール
- **物語の舞台**：第1次世界大戦後のアメリカ。
- **過去**：ボートに乗って漂流していたとき、ある恐ろしい体験をする。
- **現在**：屋根裏の一室で、孤独と恐怖に取りつかれた毎日を送っている。
- **恐怖**：名前のないいまわしい生物の記憶。
- **習慣**：恐怖から逃れるため、モルヒネを常用している。

あらすじ　泥の大地で出会った未知の生物

「わたし」は、かつて船荷監督として定期船で働いていました。ある日、太平洋を航行中、ドイツの襲撃艇に拿捕され、捕虜となります。しかし警備は手薄で、「わたし」は小さなボートに水や食料を積みこみ、ひとり脱出に成功します。しかし、どこにいるのかもわからず、何日も漂流を続けました。やがて眠りから覚めると、景色は一変しており、あたりには見渡すかぎり黒々とした泥が広がり、そこらじゅう腐敗する魚や異様な生物の死体が突き出していました。数日がたち泥地が乾くと、「わたし」は遠方の丘を目指して歩き出します。丘の頂上から岩場をはいおり、反対側の斜面を見ると、白く輝く巨大な石碑が目に止まりました。石には、見たことのない象形文字と水かきのついた手足をもつ人間の彫刻があります。そして突然、そのいまわしい巨体の怪物が海中から現れたのです。

「わたし」は逃げ出し、その後救出されます。しかし、恐ろしい記憶を振り払うことができず、いつしかモルヒネが手放せなくなったのです。

自殺を決意した夜、なにか巨大なものがドアにぶつかる音がします。そして窓を見て、恐怖に襲われます。

名前のない生物

思い出すだけで気が遠くなるほどグロテスクで、異様な大きさの怪物。水かきのついた手足と、ぶあつくてたるんだくちびるをもち、どんよりとした目は突き出している。鱗に包まれているが、全体的な輪郭は人間によく似ている。

わたし
小さなボートでドイツの襲撃艇から脱出する。

作品名：『ダゴン』　作者：ハワード・フィリップス・ラヴクラフト　初出：1917年7月に執筆後、同人誌「ヴァグラント」1919年第11号に発表　【本作の出典】『ラヴクラフト全集3』（大瀧啓裕訳、創元推理文庫、1984年）

空では太陽が燃えあがっていたが、わたしには、まるで足もとの漆黒の泥を映しているかのように、一片の雲とてない無慈悲さのなかで、ほとんど黒く見えたほどだった。

わたし

「わたし」のからだは、泥の中に半分沈み、ボートは少し離れた場所に座礁していました。とっさに身の毛がよだつ思いがしました。黒いぬるぬるとした泥は、骨の髄まで凍るようなまがまがしさに満ち、あたり一面、魚や得体の知れない生物の死体で腐れ果てていたからです。「わたし」は、座礁したボートにはいこみました。そして、眠っている間に、火山活動で海底の一部が海面にまで押し上げられ、数百万年もの間かくされていたものが、あらわになったことを確信したのです。「わたし」はボートに座って、わが身の不運を思いつめていました。

漂流から生還しても恐怖に取りつかれるヒーロー

作者のハワード・フィリップス・ラヴクラフトについて

1890年、アメリカに生まれる。幼少のころ、父が神経症を患い死去。自身も父と同じ心の病気をかかえて育ったとされる。青年時代から小説執筆を趣味とし、同人誌に作品を載せるようになる。その後、R・E・ハワードやC・A・スミスとともに、怪奇小説専門誌「ウィアード・テイルズ」で活躍するものの、長年評価は得られず、文章添削などで収入を得ながら執筆活動を続けた。生前に出版された単行本は一作だけと不遇であったが、1937年に病死したあとに再評価され人気が高まる。架空の神々や宇宙の成り立ちなどの世界観を複数の作家で共有する「クトゥルフ神話大系」の創始者でもある。時空をこえた存在を描く怪奇小説作家として、現代の作家たちにも強い影響力を及ぼしている。

H・P・ラヴクラフト

※1　ダゴンとは、古代パレスチナでペリシテ人が信仰していた、顔と手は人間、からだは魚という人魚形の神のこと。
※2　モルヒネは麻薬のひとつだが、強力な鎮痛作用をもち、医薬品としてがん患者の緩和ケアなどにも用いられている。

『B13号船室』
アン・ブルースター

> わたしは、アン・ブルースター。夫のリチャードと新婚旅行に行くために、大西洋航路の定期船に乗ったところです。行先はヨーロッパで、3カ月をそこで過ごすつもりです。

プロフィール

- 年齢：30歳少し前。
- 結婚前の名前：アン・ソーントン。
- 結婚した場所：ニューヨーク州北部の町。
- 持参金：約2万ドル。夫に預けている。
- 乗船した船：ホワイト・プラネット船舶会社のモーレヴァニア号（25,000トン）。
- 病歴：以前に脳炎を患い、ちょっとしたことでも悪い想像をしてしまうところがある。

あらすじ　船室とともに消えた新郎のゆくえ

　ある秋の日、ニューヨークの港に、アンとリチャードという一組のカップルがやって来ました。ふたりは5時間前に結婚したばかりで、ヨーロッパへのハネムーンに船で向かうところでした。ふたりの船室は「B13号」。船室を確かめたアンは、出航の様子を見るために甲板へ、リチャードはアンが持参した大金を預けるために船の事務室へと、それぞれ向かいました。ところが、甲板に上がったアンは、この船の船医を務めるハードウィックという男性に出会い、この船にはB13号室はないということを聞かされます。確かめるためにハードウィックとふたりで船室に行ってみると、さっきまであったはずのB13号室は見当たりません。スチュワーデスに予約した部屋を確認してみると、アンの部屋はB16号室になっており、しかも、宿泊人数もひとりになっていました。そこで今度は、アンが乗船するところを見たという船員に話を聞いてみました。ところがやはり船員も、乗船時に連れの客は見ていないというのです。彼女は夢を見ているのでしょうか。みんなが彼女をだましているのでしょうか。そして夫のリチャードは、どこへ消えてしまったのでしょうか。

リチャード・ブルースター

アンの夫。35歳。愛称はリッキー。快活で自信に満ちているが、この日はなにか心配ごとがあるらしく、顔をくもらせている。新妻アンの病的な妄想をなおすと意気ごんでいる。

マーシャル
船の二等航海士。アンが乗船したときには、船のタラップにいて、彼女の顔もしっかりと覚えていた。

ウェインライト
船長。初老で、太い声でゆっくり無愛想にしゃべるが、冷酷な性格ではない。この日は海が荒れているので、ちょっと不機嫌。

作品名：『B13号船室』　作者：ジョン・ディクスン・カー　初出：アメリカのCBSラジオで1943年に放送されたドラマの脚本　【本作の出典】『人間消失ミステリー』（赤木かん子編、宇野利泰訳、ポプラ社、2002年）

だって、わたし、確かに見たのよ！　なかにも入ったわ！　大きなお部屋で、専用のバス付きで、壁板は明るい色のオーク材。ローズウッドと黄繻子の家具を揃えて、舷窓は外に海が見えるほんものの窓だったわ。

スチュワーデス
船の客室係。アンの荷物がどの船室にいくつ運びこまれていたかもちゃんと覚えていた。

ポール・ハードウィック
船医。見た目は30〜40歳くらい。哲学者めいた態度の男。気分がすぐれない様子のアンが気になって声をかける。

アン・ブルースター

客室には13というナンバーは使わないと主張するハードウィックを連れて、アンはBデッキの通路へとやって来ました。しかし、ハードウィックがいうとおり、アンが最初に案内されたはずのB13号室は見当たりません。スチュワーデスに確認すると、アンの荷物は結婚前の名前でB16号室に届けられていることがわかりました。しかも、そこにはアンの夫リチャードの荷物はありません。アンとリチャードが最初に入ったB13号室も、リチャード自身も、雲のように消えてしまったのです。しかもアンには、自分が見たものを説明する証拠がなにひとつとしてないのでした。アンは、みんなが一緒になってウソをついているように感じました。

カーのしかけた密室

　作者のジョン・ディクスン・カー（別名カーター・ディクスン）は、密室のトリックを用いた殺人事件を数多く描いた作家として知られ、「密室派」の代表格のひとりとされている。密室を取りあつかった作品で有名なものに、『三つの棺』（1935年）、『曲がった蝶番』『ユダの窓』（1938年）がある。『三つの棺』では、室内と野外というまったく異なった状況で起こった密室殺人が複雑にからまり合う。『曲がった蝶番』は、庭園のまん中

第1巻30〜31ページも参照。

で人が見ているところで行われる殺人。『ユダの窓』は、内側から鍵のかけられた部屋にいた男が気を失っている間に、一緒にいた男が殺され、殺人の容疑をかけられるというもの。一見不可能に思える犯罪をカーは次々に提示し、読者に挑戦しているかのようだ。

犯人はどこへ消えたのか？

幸せの絶頂から恐怖の底へ落とされるヒロイン

『南から来た男』
わたし

主人公は「わたし」です。
「わたし」はホテルのプールで、夕日を眺めながらビールを飲もうと外に出たところです。パラソルの下のデッキチェアに座っていると、スーツ姿の小柄な老人と同席することになりました。

プロフィール
- 現在：ジャマイカのホテルに宿泊している。
- 時間：夕方6時ごろ。
- 老人らと出会った場所：ホテルの庭にあるプール。
- 賭けについて：老人の提案は賭けとしては度がすぎており、ばかばかしいと思っている。

あらすじ　老人が提案した「賭け」とは？

「わたし」がプールのそばのデッキチェアに座り、ビールを飲みながらタバコを吸っているとひとりの老人がやって来て、話しかけてきました。しばらく話していると、今度はそこにアメリカ人の若者が、イギリス人の女の子を連れてやって来ました。老人が葉巻を取り出すと、若者はライターを差し出しました。強い風が吹いていましたが「大丈夫、いつだってちゃんと（火は）つくから」と請け合いました。すると、老人はひとつの賭けを提案してきました。「10回連続で火をつけることができたら、若者は老人の持っている高級車をもらえる。できなかったら、老人が若者の左手の小指をもらう」という賭けです。最初は若者も躊躇していましたが、結局賭けに乗ることになり、ふたりは「わたし」に立ち会い人になるように求めました。「わたし」がしぶしぶ引き受けると、老人は風のない場所でやろうと、自分の部屋へ「わたし」たちを連れていきました。そしてメイドにクギと金づち、肉切り包丁を用意させ、慣れた手つきでクギを机に打ちつけると、そのクギに若者の左手を縛りつけました。いよいよ賭けのスタートです。若者はライターをつけ始めました。さて、いったい賭けはどうなるのでしょうか。

女
老人のパートナーらしき年配の女性。スペイン語のようなことばと完璧な英語を話す。

老人
68〜70歳くらいの小柄な老人。南米の出身らしく、ことばには少しなまりがある。動作はきびきびしていて、プールサイドをはずむように歩いてきた。笑うと歯並びの悪い黄ばんだ小さな歯が見える。

作品名：『南から来た男』　作者：ロアルド・ダール　初出：アメリカで1953年に発表した短編集『あなたに似た人』に収録　【本作の出典】『南から来た男　ホラー短編集2』（金原瑞人編訳、岩波少年文庫、2012年）

「じゃあ、ちょっとした賭をしないか。そのライターで」老人はにっこり笑っていった。「ちょっとした賭を。火がつくかつかないか」

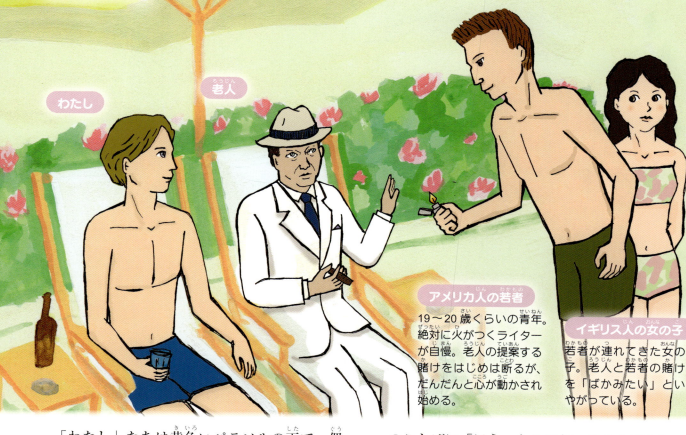

わたし

老人

アメリカ人の若者
19〜20歳くらいの青年。絶対に火がつくライターが自慢。老人の提案する賭けをはじめは断るが、だんだんと心が動かされ始める。

イギリス人の女の子
若者が連れてきた女の子。老人と若者の賭けを「ばかみたい」といやがっている。

奇妙な賭けの立ち会い人となったヒーロー

　「わたし」たちは黄色いパラソルの下で、偶然出会ったばかりでした。老人が葉巻を取り出し、若者がライターを差し出すと、老人は風が強いのでうまく火がつかないのではないかと言いました。しかし若者は、自分がつければ絶対に火がつく、と自信たっぷりです。老人は若者のことばに「ほう、なるほど。そのすばらしいライターは、いつも完璧に火がつく、というのかね？」と食いつきました。その声は妙に抑揚がなく、目はずっと若者の顔を見ています。そして老人は、にっこりと笑いながら、ある賭けをしないかともちかけたのです。

作者のロアルド・ダールについて

　1916年、イギリスのサウスウェールズでノルウェー移民の両親のもとに生まれる。第２次世界大戦時にはイギリス空軍の戦闘機パイロットだったが負傷して退役、その後駐米イギリス大使館に転属した。1942年、空軍生活から生まれた短編を雑誌に発表し、作家業に転向。1946年、初の短編集『飛行士たちの話』を刊行した。短編の名手であるが、とくに「奇妙な味」と呼ばれる作品群はミステリーとしても人気があり、1953年発表の『あなたに似た人』（本作も収録）は、MWA の最優秀短編賞を受賞した。児童文学作家としても活躍し、主な作品には映画化もされた『チョコレート工場の秘密』（1964年）などがある。劇場用映画のシナリオなど映像関係の仕事も多い。1990年に死去。

ロアルド・ダール

※１　MWA は「アメリカ探偵作家クラブ」の略称。

25

『暗い鏡の中に』
フォスティーナ・クレイル

わたしは、フォスティーナ・クレイル。ブレアトン女子学院で美術教師として勤め始めて5週間になります。最近、周囲の人からそそがれるまなざしが変わってきていて、その原因が気になり不安を感じています。

プロフィール
- ◆ 出身：アメリカ合衆国ニューヨーク市マンハッタン。
- ◆ 経歴：大学卒業後、ヴァージニア州のメイドストーン校の教師になるが、突然解雇される。その後、ブレアトン女子学院の美術教師となった。
- ◆ 性格：気が弱く、引っこみ思案。

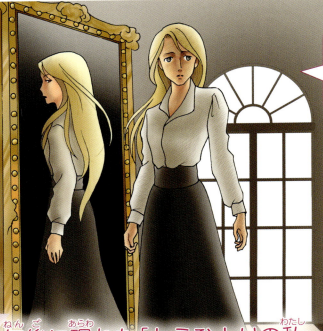

あらすじ 1年後に現れた「もうひとりの私」

ブレアトン女子学院に勤めて5週間のフォスティーナは、突然理由も告げられずに教師をクビになってしまいます。友人のギゼラはその理由が気になり、恋人の精神科医ウィリング博士に相談しました。ウィリング博士は、フォスティーナから了解を得て、代理人として女子学院の校長であるライトフットに面会を求めます。そこで明らかになったのは、なんともうひとりのフォスティーナがたびたび学校内に現れるという怪現象でした。しかもその怪現象は、フォスティーナが以前勤めていた学校でも起きていたというのです。

また、ギゼラがフォスティーナと遠距離電話で話をしているまさにその時間に、ひとりの教師が学校内で殺されてしまうという事件が起こります。しかもそれを目撃した少女は、フォスティーナが教師を石段から押すところを見たというのです。遠距離電話をしながら、同時に別のところに現れて人を殺すということがはたして可能なのか。それとも、別の誰かが彼女を装っているのか。もうひとりのフォスティーナの正体を明らかにするため、ウィリング博士は、さらに調査を進めていきます。そんななか、またしても事件が起きてしまうのです。

ベイジル・ウィリング博士
精神科医であり、ニューヨーク地方検事局の精神医学顧問。ギゼラの恋人で、相談を受けて駆けつけるまでは日本で仕事をしていた。

ライトフット
ブレアトン女子学院校長。いつも無表情で、感情をおもてに出さないようにしている。地味な服装ながらも威厳がある。

レイモンド
マーガレットの兄。気ままな青年。

アリス・アッチンスン
演劇コーチ。フォスティーナとは以前からの知り合いだが、見くだすようなところがあり、よくからかっている。栗色の髪をした美人。

エリザベス・チェイス
生徒。閲覧室でもうひとりのフォスティーナを目撃し、気絶する。

マーガレット・ヴァイニング
生徒。エリザベスと一緒にフォスティーナを目撃する。

作品名：『暗い鏡の中に』 作者：ヘレン・マクロイ 初出：アメリカで1950年に発表 【本作の出典】『暗い鏡の中に』（駒月雅子訳、創元推理文庫、2011年）

そのとき一陣の風が吹き、頭上の枝が揺れた。正常な速さで。フォスティーナ・クレイルの動作だけがどんどん鈍っていき、力の抜けた指から絵筆が今にも落ちそうだ。なんという恐ろしい光景だろう。

もうひとりの自分の影におびえるヒロイン

ギゼラ・フォン・ホーエネムス
ドイツ語教師。フォスティーナの友人。ヨーロッパ生まれで、ウィーンから亡命してきた。

フォスティーナ

ギゼラがその日の最後の授業を終えて、気分転換に庭へ散歩に出ると、林の小径を抜けたところで、イーゼルを立てて絵を描いているフォスティーナを見つけました。ギゼラが静かに近づいて行こうとしたそのとき、突然、なにかが起こりました。絵に集中しているフォスティーナの手が、急にスローモーションのような動作に変わったのです。まるで、彼女の生命力が衰えていくかのようでした。

そのとき、突然悲鳴が聞こえました。ギゼラがあわてて悲鳴の聞こえた建物に入ると、そこには、床にしゃがみこんだマーガレットと、その隣で気を失って倒れているエリザベスの姿がありました。フォスティーナの動きが急激に遅くなったそのときに、生徒たちの身になにかが起きたのです。

作者のヘレン・マクロイについて

1904年、アメリカのニューヨーク生まれ。父親は新聞社の編集主幹で、ヘレンも14歳のころから文才を発揮していた。フランスのソルボンヌ大学で学び、その後海外でフリーの記者として活躍。1938年、精神科医ウィリング博士が初登場する『死の舞踏』でミステリー作家としてデビュー。以後、『家蠅とカナリヤ』（1942年）『暗い鏡の中に』などのウィリング博士シリーズのほか、数多くの作品やミステリー評論を著した。

1946年、ミステリー作家ブレット・ハリディと結婚（のちに離婚）。1950年、女性としてはじめてMWAの会長に就任した。1980年に発表した『読後焼却のこと』でネロ・ウルフ賞を受賞。1990年にはMWA巨匠賞を受賞している。1994年に死去。

ヘレン・マクロイ

※1　ネロ・ウルフ賞は、アメリカのミステリー賞。ネロ・ウルフはレックス・スタウトの小説に登場する安楽椅子探偵の名前。

『ロケット・マン』
父さん

> わたしは、ロケット・パイロットです。宇宙に行くと、3ヵ月は家に戻りません。地球に帰ってきて家族に会うと、もう宇宙には行かないでおこうと思うのですが、3日目の夜には宇宙が恋しくなります。しかし、今度こそ最後にすると息子に告げ、宇宙へと旅立ちます。

プロフィール

- **職業**：宇宙船で、土星や火星、冥王星など、さまざまな星を巡るロケット・パイロット。はじめて宇宙に出てから10年になる。パイロットの人数は少ないため、目的地を自分で選び好きなときに行ける。
- **家族**：地球で暮らす妻と息子。
- **家での過ごし方**：芝生を刈ったり、大工仕事に精を出す。家族と一緒の時間を楽しむ。
- **努力していること**：ロケット・マンであることを鼻にかけないこと。うちに居続けようとすること。宇宙やロケットに関することばを使わないこと。
- **苦悩**：宇宙にいると家へ帰りたくなり、家にいると宇宙へ出たいという気持ちに取りつかれる。
- **願い**：息子はロケット・マンにはならないでほしい。

あらすじ：宇宙に取りつかれた父親の休日

旅行中「わたし」は、全身に不思議な刺青がある男と出会います。その刺青の絵は、夜になると動き出し、未来を予言する18の物語を語り始めます。7つめの物語は、宇宙で仕事をする父親の話でした。

「ぼく」の住む田舎町の上空を宇宙ロケットが通過すると、ロケット・マンである父さんが宇宙旅行の任務を終えて帰ってきます。母さんは、今度こそうちに引きとめようと考え、「ぼく」に協力を頼みます。でも「ぼく」はうっかりして、父さんに宇宙についてたずねたり、制服姿が見たいとせがんだりして、母さんをおびえさせてしまいます。

家にいる間父さんは、この日のために母さんがためておいた家の仕事をしたり、一緒に買い物に出かけたりして、家族を喜ばせようとします。また、数枚の切符を手に帰って来たかと思うと、そのまま3人でメキシコへの旅行へ出発です。マリブの砂浜を歩いているとき、父さんは「ぼく」にロケット・マンであることの悩みを打ち明け、将来ロケット・マンにはならないことを約束させました。そして、「この次、うちに帰って来たら、もうどこへも行かない」と言い残し、宇宙へと出かけていきました。

母さん

名前はリリー。地球に戻ってきた夫が、また宇宙に出かけてしまうことを恐れている。1年に3～4回帰ってくるだけの夫のことを、10年前に亡くなったと思うようにしているが、夫が帰ってくると、豪華な料理でもてなす。

刺青の男

かつては、見世物小屋で働いていた。全身に、50年前に老婆に彫ってもらった美しい刺青がある。夜、月あかりを浴びると、刺青の絵が順番に動き出し、未来の世界を描いた18の物語を演じる。さらに、右の肩甲骨には、見ている人の一生が映し出される。

わたし

徒歩旅行中に刺青の男と出会い、その晩、男の刺青に刻まれた未来の物語を見る。

作品名：『ロケット・マン』　作者：レイ・ブラッドベリ　初出：1951年にアメリカで発表　【本作の出典】『刺青の男』（小笠原豊樹訳、ハヤカワ文庫SF、2013年）

「大きくなったら、ロケット・マンにだけはならないでくれ」
ぼくは立ちどまった。
「まじめな話だよ」と、父さんは言った。

家族を思いつつも宇宙での仕事を選ぶヒーロー

ぼく
14歳。父親には「ダグ」と呼ばれている。宇宙に興味をもち、流星のかけらなど、父の制服に付着している宇宙の垢を顕微鏡で観察したりしている。大きくなったら、ロケット・マンになりたいと思っているが、父が留守の間、母がさびしい思いをしていることをよく理解している。

父さん

　マリブの浜も今日かぎりという日の午後、ぼくと父さんは、ふたりで波打ち際を歩いていました。父さんは、「約束してもらいたいことがある」とぼくに言い出します。自分のようにはならないでほしいというのが、約束の内容でした。ロケット・マンというものは、宇宙に出ていると家に帰りたくなり、家に帰ってくるとまた宇宙に出かけたくなる。そんな精神状態に取りつかれたらおしまいだというのです。ぼくは、父さんがうちに居続けようと努力していることを思い出しました。そして、しばらくためらってから、「オーケー」と言いました。

作者のレイ・ブラッドベリについて

レイ・ブラッドベリ

　1920年、アメリカのイリノイ州生まれ。少年時代からSF専門誌「アメージング・ストーリーズ」やE・R・バローズの「火星シリーズ」に親しみ、高校を卒業すると新聞売りをしながら小説を書くようになる。1941年に「スーパーサイエンス・ストーリーズ」誌にヘンリー・ハースとの共作『振り子』が掲載されプロデビューする。その後、1947年に最初の短編集『黒いカーニバル』が刊行され、1950年には代表作となる『火星年代記』、1953年にはディストピア的未来世界を描いた長編『華氏451度』が刊行され、作家としての評価と名声を得る。自伝的内容の『たんぽぽのお酒』(1957年)など、SFに幻想的で詩的な作風を加味し、「SFの抒情詩人」とも呼ばれた。2012年、91歳で死去。

『雪女』
お雪

わたしは、お雪。
両親に死に別れ、江戸へ女中奉公の口を探しに行く道中で巳之吉に出会い、嫁になりました。巳之吉にも姑の「おふくろさん」にも大事にされ、10人の子宝にも恵まれて、幸せに暮らしています。

プロフィール

- **巳之吉との出会い**：ある年の冬の夕方、江戸へ向かう旅の途中で出会い、一緒になった。
- **もとの境遇**：両親に死に別れ、江戸の親戚をたずねる旅の途中だった。
- **居住地**：武蔵の国（現在の東京都と埼玉県、神奈川県の一部）のある村。
- **家族**：姑の死後は、巳之吉と10人の子どもたち。子どもたちはみんな色白で、器量がよい。
- **性格**：人柄のよい立ち居振る舞い、巳之吉のおふくろも気に入り、ほめるほどのよい嫁。
- **姿形の特長**：背のすらりとしたやせ型の、色の白い器量よし。小鳥のさえずりのような耳に心地よい声。10人の子持ちになっても若くみずみずしい。

あらすじ：白い息を吐く白い女の正体は？

武蔵の国のある村にふたりの木こりが住んでおり、毎日連れだって森へ木を切りに出かけていました。年老いた茂作と、その弟子の巳之吉で、巳之吉は18歳の若者でした。

ある寒い夕暮れのこと、山から帰る途中でひどい吹雪に遭います。ふたりは川の渡し守の小屋に逃げこみ、入口の戸をしっかり閉めると、着ていた蓑を頭からかぶって横になりました。やがて眠りこんでしまった巳之吉ですが、夜中、顔に雪があたって目を覚ましました。なぜか閉めたはずの戸が開いており、白装束の女が茂作の上にかがみこんで、フウフウと息を吹きかけているのです。茂作を凍え死なせると女は次に、おどろく巳之吉のほうへ近づきます。巳之吉の顔をじいっと見つめたあと、今夜のことを誰にも言わないよう約束させると、そのまますうっと戸口から出ていきました。

助かった巳之吉は約束どおり女のことはひとことも口にせず、もとの木こりの仕事に精を出しました。事件のあった翌年の冬のこと、巳之吉は、お雪という名の旅の娘に出会います。やがて結婚し、子どもにも恵まれて、ふたりは幸せに暮らすのですが……。

巳之吉
木こり。茂作が死んだあと、長い間病気を患っていたが、回復して毎日木こりの仕事に精を出している。白い女に会ったことを誰にも話さず、妻と子どもたちと一緒に幸せに暮らしている。

作品名：『雪女』　作者：小泉八雲　初出：アメリカで1904年に発表した『Kwaidan』に収録　【本作の出典】『怪談―小泉八雲怪奇短編集』（平井呈一訳、偕成社文庫、1991年）

人間に恋をした美しく悲しい妖怪のヒロイン

雪あかりに、ひとりの女が小屋のなかに立っています。……ねている茂作の上にかがみこんで、しきりに、フウフウと息をふきかけているのです。

茂作
木こり。巳之吉の親方。ひどい吹雪に遭い、難を逃れた小屋で、眠っている間に白い女に殺されてしまう。そのからだは氷のように硬く冷たくなっていた。

白い女
いつの間にか小屋の中に立っていた白装束の女。非常に美しい顔立ちだが、ぞっとするほど恐ろしい目をしている。自分を見たことを口外しないことを条件に、巳之吉は殺さずに立ち去った。

巳之吉

夜が更けるほどに吹雪ははげしく、寒さはひどくなっていきました。嵐の恐ろしさと厳しい寒さのせいでなかなか寝つけなかった巳之吉も、やがて眠りこんでしまいます。ふと目覚めた巳之吉の目に飛びこんできたのは、茂作の上にかがみこむ白い女の姿でした。確かにしっかりと閉めたはずの戸は押し開けられ、雪が吹きこんでいます。その雪が巳之吉の顔にサラサラとあたり、目が覚めたのです。茂作に白い息を吹きかけたあと、女は巳之吉にもせまってきました。巳之吉は声を立てようとしましたが、なぜか声を出すことができません。

作者の小泉八雲について

1850年、ギリシャでアイルランド人の父とギリシャ人の母の間に生まれる。本名は、ラフカディオ・ハーン。19歳でアメリカに渡って新聞記者となり、翻訳や著作を発表をするようになる。日本文化に強くひかれて39歳の1890年に来日。島根県の松江中学に英語教師として赴任し、このとき出会った小泉セツ（節子）と結婚。のちに日本に帰化して小泉八雲と名乗った。『知られざる日本の面影』（1894年）、『東の国より』（1895年）など日本について著述した作品のほか、『日本雑記』（1901年）や『骨董』（1902年）、短編小説集『怪談』など各地に伝わる古い物語や怪異談を再話した物語集も多く著した。1904年に死去するまで、日本の伝統的精神や文化を愛し、広く世界に紹介した。

小泉八雲

31

『夢十夜』第五夜
自分

「自分」は夢の中にいます。あるときは、悟らなければならない侍であり、自分の子どもをおぶっている父親でもあり、大きな船に乗る男のときもあります。ここでは神話の時代に近いほど昔の武将ですが、戦いに敗れ、殺される寸前です。

プロフィール

- **居る場所**：いくさに負けて生け捕りになり、敵の大将の前に引き据えられている。
- **服装**：膝まで届くほど長いわらぐつをはいている。
- **現状**：敵に捕えられて、草の上に胡坐をかいている。
- **性格**：死ぬことも恐れない、勇ましい心の持ち主。
- **恋**：思う女がいる。

敵の大将

「自分」がしかけたいくさの敵軍の大将。長いひげを生やし、左右の眉が太くつながった無骨な顔立ち。革の帯に棒のような剣をつるし、太いふじづるをそのまま使ったような素朴な弓を持っている。

あらすじ とらわれた武将の最後の望み

戦いに敗れた「自分」は捕虜になり、敵軍の大将の前に引き出されました。敵の大将は、「自分」に「生きるか」、すなわち捕虜になるか、それとも屈服せずに「死ぬか」と聞きました。「自分」はひとこと、死ぬと答えます。すると大将は腰につるしていた剣をするりと抜きました。風にあおられたかがり火が横から吹きつけたそのとき、「自分」は右の手を開いて大将のほうに向け、眼の上に差し上げました。「待て」という合図でした。それを見た大将は剣を鞘に収めました。「自分」は、死ぬことは構わないが、思う女がいると明かし、ひと目会わせてほしいと願い出ます。大将は鶏が鳴く夜明けまでは処刑を待ってやると言います。鶏が鳴くのが先か、それとも女が来るのが先か。女が来ても鶏が先に鳴けば自分は殺されてしまいます。

そんな状況を察知したのか、このとき、「自分」の恋人の女は家の裏の木につないであった白い馬を引き出します。たてがみを三度なで、鞍も鐙もつけていない裸馬に飛び乗ります。そして長く白い足で馬の腹をけり、駆け出しました。

作品名：『夢十夜』　作者：夏目漱石　初出：「朝日新聞」に1908年に連載　【本作の出典】『夢十夜　他二篇』（岩波文庫、1986年）

誰かが篝りを継ぎ足したので、遠くの空が薄明るく見える。馬はこの明るいものを目懸て闇の中を飛んで来る。……女の髪は吹流しのように闇の中に尾を曳いた。

死ぬ前にひと目愛する女に会いたいと願うヒーロー

女
「自分」の思い人の女性。闇夜に自ら裸馬を駆って走らせることのできる、芯の強さをもっている。

殺される前にひと目会いたいと願う「自分」の最後の思いが伝わったのでしょうか。願いにこたえるかのように、女はなにもつけない裸馬に飛び乗り、「自分」がとらわれている場所に赤々と燃えるかがり火を目指し、ひたすら馬を駆ります。馬は鼻から火柱のような息を2本出して飛ぶように走っています。女は細い足でひっきりなしに馬の腹をけっています。馬の蹄の音が宙で鳴り、女の髪が吹き流しのように闇の中で尾を引くほどの速さでした。そんなに必死に駆けているのに、女はそれでもかがり火の燃える、恋しい人がいる場所までたどり着くことがいっこうにできません。

自分

作者の夏目漱石について

1867年、東京に生まれる。本名は金之助。東京帝国大学を卒業し、愛媛県尋常中学校に英語科教師として赴任する。33歳のとき、文部省の命令で渡英。帰国後は東京帝国大学で教鞭を執り、在職中に『吾輩は猫である』(1905〜06年)、『坊っちゃん』(1906年)などを発表する。40歳で教職を辞して朝日新聞社に入社し、職業作家の道を歩む。『夢十夜』などに続く『三四郎』(1908年)、『それから』(1909年)、『門』(1910年)の三作で近代知識人の心の孤独を浮き彫りにした。その後、持病の胃潰瘍が悪化し、危篤状態を経験。病後の『彼岸過迄』(1912年)、『行人』(1912〜13年)、『こころ』(1914年)では、さらに人間の心の孤独と苦悩や人間性の深奥にひそむエゴイズムの問題と対峙した。1916年、『明暗』連載中に、49歳で死去。

夏目漱石

※1 『夢十夜』は、さまざまな時代にわたる奇妙な夢の記憶を幻想的に描いた10編の短編集。第一夜〜第三夜、および第五夜の「こんな夢を見た。」という語り出しが有名。

『遠野物語』第九十一話
山の神

わたしは、山の神です。
山口から柏崎に続く道筋沿いにある愛宕山の頂にいます。山をおりたりすると、郷の人が顔を見ておどろき駆け去ります。たまに、こちらから話しかけることもあります。

プロフィール
- **居場所**：遠野の愛宕山山頂にある小さな祠。
- **風貌**：背が高く、顔は赤く、目は輝いている。
- **習慣**：小正月と呼ばれる1月15日の夜、郷で遊ぶ。
- **性格**：基本的に人との接触を嫌う。
- **特技**：離れたところからも人の生死がわかる。気が向くと、郷の者に占いの術や心を読む術を授けることもある。

あらすじ
遠野の山の奇妙な体験談

ある秋の日。遠野の山々を知りつくしている「鳥御前※1」と呼ばれる先達と連れの男は、ふたりで茸を採ろうと、町と猿ヶ石川の間にある山に出かけます。続石と名づけられた珍しい岩のあるあたりから少し上に入ったところで、ふたりははぐれてしまいます。けれども山を知り抜いている鳥御前ですから、気にもとめずひとりで山を登っていきます。ふと見ると、大きな岩のかげに赤い顔をした男と女がいるではありませんか。そのふたりはなにやら立ち話をしているところでした。ふたりは鳥御前に気づくと、手を大きく広げて押し戻すようなそぶりを見せて行く手をさえぎりました。ところが、鳥御前は構わず近寄っていきます。女のほうはたまらず、男の胸に取りすがるような様子を見せます。鳥御前はちょっとふざけたくなり、腰の刃物を抜いて打ちかかるふりをしてしまいます。次の瞬間、顔の赤い男が足をあげてけり上げ、鳥御前は意識を失ってしまいます。その後、谷底で気を失っていたところを連れの男が発見し、介抱して連れ帰ってくれたのですが……。

鳥御前
南部の名家に仕えて鷹匠をしていたことから、鳥御前と呼ばれる。早池峰山や六角牛山など、近隣の山々の木や石の場所や形状などは、すべてを知りつくしている。

連れの男
泳ぎの名人。わらと槌を持って水にもぐり、水中でわらじをつくりあげてくることができるという評判がある。

作品名：『遠野物語』 作者：柳田国男 初出：岩手県出身の佐々木喜善から聞いた生活習慣や伝承、民俗信仰をまとめ、1910年に自費出版（聚精堂）【本作の出典】『遠野物語・山の人生』（岩波文庫、1976年）

鳥御前はひょうきんな人なれば戯れて遣らんとて腰なる切刃を抜き、打ちかかるようにしたれば、その色赭き男は足を挙げて蹴りたるかと思いしが、たちまち前後を知らず。

山の中で出会うかもしれない神秘のヒーロー

山の神

女の山の神
男の山の神と同じく、赤い顔をもつ。里人と接することを恐れているように思われる。

鳥御前

連れと離れ離れになってしまい、山で茸を探すうち、親しく話しこむ、顔の赤い男と女を見つけた鳥御前。女の神が近づく鳥御前をいやがり、こちらに来ないようにと制止されたにもかかわらず、足をとめませんでした。鳥御前は「このふたりは普通の人間ではあるまい」と思いながらも、ひょうきんな性格だったため、「ちょっとからかってやろう」と腰にさげていた刃物を抜きました。そして、打ちかかろうとするそぶりをして見せてしまったのです。その動きを見た顔の赤い男。足を上げてけったのでしょう。鳥御前は気絶。谷底に転げ落ちてしまいました。

作者の柳田国男について

日本民俗学の第一人者。1875年、兵庫県の農村に生まれる。父は医者であり、国学者でもあった。10代後半には、「文学界」に抒情詩などを投稿して注目を浴びていたが、農政学を学ぶため東京帝国大学に進学する。卒業後は農商務省に勤務し、日本各地を巡った。そこで人びとの生活の実情に触れ、庶民の歴史や文化の研究に興味をいだくようになる。1919年に職を辞し、翌年、東京朝日新聞社客員として論説を担当しながら全国を取材し、各地の口頭伝承や方言、民間信仰の収集や研究、執筆などを行った。『遠野物語』は岩手県遠野市の昔話・民間伝承・習俗などを地元の人から聞き、書き綴ったもの。日本の民俗学を開拓した功績により、1951年に文化勲章を受章。1962年、87歳で死去。

柳田国男

※1 御前は、固有名詞などにつけて敬意をあらわす接尾語。鷹を使い、山を知る名人への尊敬の意がこめられている。
※2 鷹匠とは、クマタカなど、自らが訓練した猛禽類を使い、狩りをする猟師のこと。

『鏡地獄』
彼

わたしは「彼」、いびつな視覚の世界を愛する男です。Kとは幼なじみで、裕福な家に育ちました。幼いころから、鏡やレンズをとおしてのぞく世界に興味があり、その不思議な感覚にのめりこみ、両親の死後、受け継いだ遺産を鏡とレンズにつぎこんで、これまでにない世界を創り出しました。

プロフィール
- **年齢**：20歳をすぎているが、正確な年齢は不明。
- **住まい**：とある山の手の高台の家。
- **家族**：両親は他界し独身。
- **同居人**：お気に入りの若い小間使の女と、何人かの使用人。
- **趣味**：鏡とレンズの製造。ありとあらゆる形の鏡の収集。実験室に鏡の部屋をつくり、何時間も中にこもっている。趣味が高じて庭にはガラス工場も建設。

あらすじ　鏡への執着が招いた悲劇

　あるとき、5、6人の仲間で怪奇な話を語り合っていると、Kという男が、友人の「彼」についての話を始めました。

　「彼」は、資産家の息子で、子どものころからビードロや美しいガラスを手にして遊んでいました。少年時代には、さらに望遠鏡や顕微鏡などのレンズやガラスなどに執着し、中学の上級生に進み、物理学でレンズや鏡のしくみを知ると、卒業後は進学もせずに、実験室にレンズと鏡でいっぱいの部屋をつくって閉じこもりました。やがて、彼の両親が亡くなると、その財産を自由に使って、自分だけのゆがんだ世界に、病的にのめりこんでいきました。彼は、小間使の娘を恋人としますが、彼の行動を止める者はひとりもいません。庭にガラス工場を建て、実験室の様子がさらに異常さを増すにつれ、彼の健康も損なわれていきます。Kは頻繁に彼の家に出入りし、その行動を見守りますが、それが精一杯でした。

　ある朝、Kは、大急ぎで「彼」の家に来てほしいと使いの者にたたき起こされます。駆けつけた実験室には、玉乗りの玉を大きくしたような物体が転がっていました。中からは笑い声らしき奇妙な音が聞こえてきます。「彼」が中にいるのでしょうか？　しかし、その物体には、扉があっても取っ手はなく、開けることができないのです。

K　「彼」の幼なじみで、もっとも親しい友達。

小間使　「彼」のお気に入りの若い小間使で恋人のような関係。家の中で、唯一「彼」の鏡の部屋に入ることが許されている。のちに奥様と呼ばれるようになる。

作品名：『鏡地獄』　作者：江戸川乱歩　初出：雑誌「大衆文藝」1926年10月号　【本作の出典】『江戸川乱歩短篇集』（千葉俊二編、岩波文庫、2008年）

鏡やレンズが映す世界を愛しすぎたヒーロー

「驚いたかい、僕だよ、僕だよ。」
と別の方角から彼の声がして、ハッと私を飛び上らせたことには、その声の通りに、壁の怪物の唇と舌が動いて、盥のような目が、ニヤリと笑ったのです。

両親が亡くなった「彼」は、莫大な遺産を鏡やレンズの実験の趣味につぎこむようになっていました。ある日、彼をたずねたKが実験室の扉を開くと、薄暗い部屋の正面の壁一面をなにかがモヤモヤと動き出したのです。怪物かと思ってよく見ると、それは壁一面に動く気味の悪い目や鼻、そして白い歯でした。「彼」が鏡とレンズと光によって創り出した「実物幻燈」というトリックで、そんな悪夢のような映像が壁に映し出されていたのです。彼の狂気じみた行動は、ますますエスカレートし、病的ともいえる異常な世界を自宅に再現していたのでした。

江戸川乱歩の怪奇幻想小説

＊第1巻10〜11、34〜35ページも参照。

江戸川乱歩の短編には、『二銭銅貨』（1923年）や『心理試験』（1925年）などの、謎解きを軸とした本格的な探偵小説のほかに、乱歩の嗜好を色濃く反映した怪奇幻想小説がある。乱歩の嗜好をあらわすキーワードには、レンズ、人形、見世物、のぞき、人嫌い、などがあげられ、こうした嗜好にとらわれた人間の普通では理解できないような行為を、残酷にグロテスクに描き出し、読者に恐怖や嫌悪を感じさせるような独特の文体で表現した。代表的なものに、本作『鏡地獄』のほか、のぞき趣味が高じて犯罪にいたる『屋根裏の散歩者』（1925年）、椅子の中に人間が隠れていたら、という着想が光る『人間椅子』（1925年）、絵の中の女性を好きになる『押絵と旅する男』（1929年）などがある。

『人間椅子』は、自作の椅子の中に隠れて入り、他人の家で暮らす男の話

『その木戸を通って』
平松正四郎

わたしは、平松正四郎。廃家になっていた藩の名門、平松家の再興の当主に選ばれ、城の仕事をこなしています。平松家より格上の城代家老の加島大学の娘ともえと婚約していますが、謎の娘のふさがやって来たことで暮らしは大きく変わります。

プロフィール
- **家族**：父は岩井勘解由。のちにふさと結婚し、娘ゆかが生まれる。
- **地位**：平松家450石の当主。現在は参座という位だが、老職に空きができしだい、昇格することになっている。
- **城内での役割**：勘定仕切の監督。
- **江戸での暮らしぶり**：多くの女性とつきあいがあった。
- **気がかり**：ふさが過去の記憶を取り戻すこと。

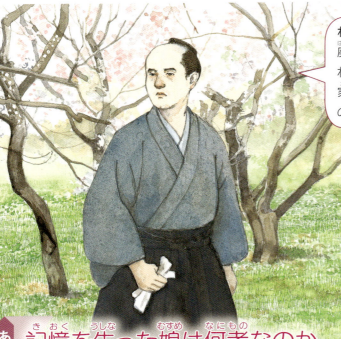

あらすじ　記憶を失った娘は何者なのか

　城に勤める武士の平松正四郎は、ある日、田原権右衛門から正四郎の家にいる娘は誰か問いただされます。正四郎の留守宅に娘がいるのを婚約者のともえが見てしまい、先方から抗議が来ているというのです。しかし正四郎は娘のことは知らず、娘も正四郎を知らないと言います。正四郎は昇進が約束されており、婚約者のともえは地位の高い城代家老の加島大学の娘であることから、誰かがこの縁談をこわそうとしていると考え、いったんは娘を追い出します。しかし、記憶をなくした娘がかわいそうになり、ともえとの婚約を解消して家に置くことにします。
　娘は「ふさ」と名づけられ、正四郎の身のまわりの世話を受け持つことになります。ふさは気がきき、仕事が早いうえに身のこなしも優雅だったので、誰からも好かれるようになります。正四郎もふさが気に入り、家来の吉塚の勧めもあり、ふさと結婚します。幸せな日々のなかで、正四郎にとっての気がかりは、ふさが完全に記憶を取り戻すことでした。そうなれば、今の生活がこわれるような気がしていたのです。ある夜のこと、ふさが正四郎の寝所に入ってきますが、その顔は無表情にこわばっていました。

娘（ふさ）
ある日、平松正四郎をたずねてやって来た謎の娘。記憶を喪失していて平松正四郎という名前のほかになにも覚えていない。気立てがよく、誰からも好かれるようになる。正四郎との結婚にあたり、田原家の養女になる。

田原権右衛門
中老の筆頭。平松正四郎の父、勘解由と親しい。正四郎が江戸から帰藩したときは、彼の監督者のような立場をとった。

むら
吉塚助十郎の妻。正四郎をたずねてきた娘に、「ふさ」の名をつけた。ふさの記憶を呼び戻すため、医者に診せたり権現滝に打たせるなどあらゆる手をつくした。

吉塚助十郎
平松正四郎の家来。先代から同家に仕えている。正四郎が江戸から自分の領地に帰ってくるとき、正四郎の父の勘解由がお伴につけてよこした。

作品名：『その木戸を通って』　作者：山本周五郎　初出：雑誌「オール読物」（文藝春秋）1959年5月号　【本作の出典】『おさん』（新潮文庫、1970年）

泣いているのだろう、その声は鼻に詰って、いかにも弱よわしく、そして絶望的なひびきを持っていた。

素性の知れない娘と心を通わせるヒーロー

正四郎

ふさ

　加島家との縁組がこわれることを心配した正四郎は、吉塚夫婦が娘の面倒を見たいというのも聞かず、娘を追い出します。外は雨が降っていたので、自分を罠にはめようとしている娘の芝居もそう長く続かないだろう、と考えたのです。そして、娘の跡をつけていきます。娘は急ぐ様子もなく、目に見えないものに導かれるようにまっすぐ歩いていき、夕方になると、雨宿りのために観音堂に入ります。正四郎は娘が中でなにをしているのか探るため、ゆっくりと前のほうにまわっていきます。娘は、縁側に腰をかけて顔を手でおおい、からだを小刻みにふるわせていました。その様子を見た正四郎は、胃のあたりに痛みが走るのを感じるのでした。

作者の山本周五郎について

　1903年、山梨県に生まれる。本名は清水三十六。小学校卒業後、銀座の質屋で奉公する。のちにペンネームに名を借りることになる店主、山本周五郎の感化を受け、同人誌などに小説を書き始める。1923年、関東大震災後に関西で新聞記者や雑誌記者の職につくが、翌年帰京する。1926年、雑誌「文藝春秋」に『須磨寺附近』を発表し、文壇デビュー。やがて時代小説の分野で認められ始め、武士の苦悩や庶民を描いて独自の境地を開く。

　『日本婦道記』（1942〜45年）で直木賞に推薦されるが辞退。生涯賞を受けることはなかったが、『樅ノ木は残った』『赤ひげ診療譚』（ともに1958年）、『さぶ』（1963年）、『ながい坂』（1964〜66年）などの傑作を次々に発表した。1967年に64歳で死去。

山本周五郎

39

『くだんのはは』
僕

「僕」は良夫、中学3年生です。
昭和20年6月、空襲で焼け出されてしまい、お咲さんが家政婦をしている「おばさん」の家の離れに住むことになりました。その家の母屋には、「おばさん」のほかに病気の子がいるようなのですが、姿を見たことはなく、不思議に思っていました。

プロフィール

- **名前**：良夫。
- **年齢**：中学3年生。
- **物語の舞台**：昭和20（1945）年6月、戦争で大空襲を受けた阪神間の芦屋の町。
- **現在**：工場動員で毎日神戸の造船所に通って、特殊潜航艇をつくっている。
- **外見**：やせこけて、目つきがとげとげしていて、いつも腹を減らし、栄養失調気味である。
- **家族**：父母と弟、妹。母と弟、妹は疎開している。
- **住まい**：家が空襲で焼けてしまったので、お咲さんがお手伝いとして住みこんでいる阪神芦屋駅付近のお屋敷の離れに住んでいる。

あらすじ
屋敷の奥から聞こえる泣き声

中学3年生だった昭和20年6月、「僕」の家は空襲で焼けてしまいました。「僕」と父は、元家政婦のお咲さんが住みこみで働いているお屋敷に、お世話になることになりました。しかし、父は会社の都合で長期の出張が決まったと言い、「僕」ひとりが残りお咲さんに面倒をみてもらうことになります。

そのお屋敷の奥様を「僕」は心の中で「おばさん」と呼んでいました。おばさんは、戦時中にもかかわらず、いつもきちんとした和服姿で、もんぺなどはいたことはありませんでした。お金持ちらしいのですが、食料はいったいどこから入るのか不思議でした。お屋敷の中には、病人がいるらしく、母屋の2階から時々すすり泣く声が聞こえてきます。お咲さんは毎日、その病人の世話をしているのですが、お咲さんも2階の鉤の手（曲がり角）のところまでしか行けず、まだ病人を見たことがないと言います。そして、お咲さんはきちんと正座して、背をまっすぐにして「僕」を見つめ、どんなことがあっても、2階をのぞいてはいけない、もしそんなことをすると、将来、「僕」が不幸になると忠告しました。

父
「僕」の父。会社勤めをしている。からだはやせ細り、戦争で家を失ったことで疲れ果てている。

お咲さん
お屋敷の家政婦。以前は「僕」の家で働いていた。やさしく、子ども好きで家事上手。「僕」の弟や妹もよくなついていた。

奥様（おばさん）
芦屋の浜辺に近い大邸宅街にあるお屋敷の奥様。すらりと背が高く、いつも着物を着ている。40歳ぐらい。病気の子どもがいるらしい。

作品名：『くだんのはは』 作者：小松左京 初出：雑誌「話の特集」1968年1月号 【本作の出典】『霧が晴れた時』（角川ホラー文庫、1993年）

「この空襲よりも、もっとひどい事になるわ」とおばさんは呟いた。

西宮大空襲の夜、「僕」は東の空の赤黒い火災と、中空にはじける火の玉を見つめていました。お咲さんと、だんだんこちらに近づいて来るようだと話していると、横におばさんが立っていました。「僕」は山の手のほうへ逃げませんかと提案しますが、おばさんは、「いいえ、大丈夫。ここは焼けません」と能面のような顔で、静かに答えました。その態度に「僕」は、なんだかうろたえます。そして、おばさんは、この空襲よりももっとひどいことが、神戸よりももっと西のほうで起こる、とつぶやくと、突然顔をおおって家の中へ入ってしまいました。

作者の小松左京について

1931年、大阪市の金属加工工場を営む家に5男1女の次男として生まれる。本名は実。14歳のときに終戦を迎え、高校時代から校内誌にユーモア小説を発表し、京都大学在学中は同人誌「京大作家集団」の活動に参加した。卒業後は土木工事の現場で働いたり、ラジオの時事漫才の台本執筆、経済誌記者など多彩な職業を経験。1961年、「SFマガジン」誌のコンテストで、小松左京のペンネームで応募した『地には平和を』が努力賞となる。以後、『日本アパッチ族』や『復活の日』（ともに1964年）など野心的な長編を発表し、日本列島が水没するという近未来を描いた『日本沈没』（1973年）で一躍ベストセラー作家となる。日本SF界の草分け的存在であり、歴史ミステリーやエッセイ、ルポなどその作品は幅広い。2011年に80歳で死去。

小松左京

※1　学徒勤労動員ともいい、第2次世界大戦末期に学生が勤労奉仕したことをいう。1945年当時は、授業を1年停止して、学徒勤労総動員の体制がとられていた。

収録作品・作家関連年表

	江戸時代	明治時代		
1840	1900	1910	1920	

収録作品

- 1843 おとし穴と振り子A（ポー）
- 1866 信号手（ディケンズ）
- 1886 ジーキル博士とハイド氏B（スティーヴンソン）
- 1897 吸血鬼ドラキュラC（ストーカー）
- 1897 透明人間D（ウェルズ）
- 1902 猿の手（ジェイコブズ）
- 1904 銅版画（小泉八雲）
- 1904 雪女（小泉八雲）
- 1907 陥穽と振り子→A（本間久四郎訳）
- 1908 夢十夜（夏目漱石）
- 1910 遠野物語（柳田国男）
- 1913 科学小説 ? 之人→D（堀口熊二訳）
- 1919 ダゴンE（ラヴクラフト）

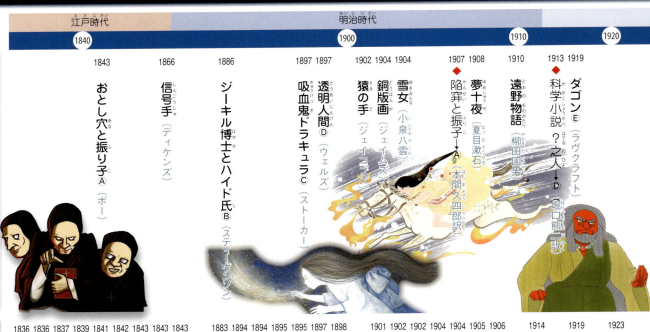

収録作家の主な作品

- 1836 ボズのスケッチ（ディケンズ）
- 1836 ピクウィック・ペーパーズ（ディケンズ）
- 1837 オリヴァー・ツイスト（ディケンズ）
- 1839 アッシャー家の崩壊（ポー）
- 1841 モルグ街の殺人（ポー）
- 1842 赤死病の仮面（ポー）
- 1843 黄金虫（ポー）
- 1843 黒猫（ポー）
- 1843 クリスマス・キャロル（ディケンズ）
- 1883 宝島（スティーヴンソン）
- 1894 知られざる日本の面影（小泉八雲）
- 1894 タイムマシン（ウェルズ）
- 1895 東の国より（小泉八雲）
- 1895 アルベリックの貼雑帖（ジェイコブズ）
- 1897 宇宙戦争（ウェルズ）
- 1898 失われた船（ジェイコブズ）
- 1901 日本雑記（小泉八雲）
- 1902 徴税所（ジェイコブズ）
- 1902 骨董（小泉八雲）
- 1904 怪談（小泉八雲）
- 1904 好古家の怪談集（ジェイムズ）
- 1905 吾輩は猫である（夏目漱石）
- 1906 坊っちゃん（夏目漱石）
- 1914 夜警譚（ジェイコブズ）
- 1919 世界文化史大系（ウェルズ）
- 1923 二銭銅貨（江戸川乱歩）

収録作家

 ポー [アメリカ] 1809-1849
 ディケンズ [イギリス] 1812-1870
ストーカー [アイルランド] 1847-1912

 小泉八雲 [イギリス・日本] 1850-1904
 スティーヴンソン [イギリス] 1850-1894
 ジェイムズ [イギリス] 1862-1936

 ジェイコブズ [イギリス] 1863-1943
 ウェルズ [イギリス] 1866-1946
 夏目漱石 [日本] 1867-1916

主な出来事

- 1840～42 清とイギリス間でアヘン戦争
- 1853～56 イギリス・フランス・トルコとロシアによるクリミア戦争
- 1858 アメリカのペリー、日本へ来航
- 1861～65 アメリカ南北戦争
- 1863 アメリカ大統領リンカーンが黒人奴隷解放宣言
- 1867 大政奉還
- 1876 アメリカのベルが電話を発明
- 1879 アメリカのエジソンが電球を実用化
- 1889 大日本帝国憲法公布
- 1894～95 日清戦争
- 1895 ドイツのレントゲンがX線を発見
- 1896 アテネで第1回近代オリンピックの開催
- 1900 パリ万国博覧会
- 1902 日英同盟調印
- 1904～05 日露戦争
- 1906 サンフランシスコ大地震
- 1909 伊藤博文暗殺
- 1910 日韓併合
- 1911 辛亥革命
- 1912 明治天皇没
- 1914～18 第一次世界大戦
- 1915 相対性理論を発表
- 1917 ロシア革命
- 1920 国際連盟発足 アインシュタインが一般

42

※太字は本書掲載の作品を、◆は翻訳・翻案をあらわす。
※発表年が、2年以上にわたる作品は、原則として連載の最初の年を記した。

大正時代 / 昭和時代

1930　1940　1950　1960　1970　1980

- 1926 ◆**鏡地獄**（江戸川乱歩）
- 1928 ◆チェキル博士奇談→Ｂ（岡本綺堂訳）
- 1929 ◆**信号手**（野尻清彦訳）
- 1943 **B13号船室**（カー）
- 1950 ◆銅版画（今日泊亜蘭訳）
- 1951 ◆**南から来た男**（田村隆一訳）
- 1953 ◆暗い鏡の中に（高橋豊訳）
- 1955 ◆**猿の手**（田村隆一訳）
- 1955 ◆**魔人ドラキュラ**→Ｃ（平井呈一訳）
- 1956 **南から来た男**（田村隆一訳）
- 1956 ◆**暗い鏡の中に**（マクロイ）
- 1957 ◆**ロケット・マン**（ブラッドベリ）
- 1959 **ロケット・マン**（小笠原豊樹訳）
- 1960 ◆**ロケット・マン**（小笠原豊樹訳）
- 1968 **くだんのはは**（小松左京）
- 1971 ◆魚神デイゴン→Ｅ（秋津広之訳）
- 1981 ◆**B13号船室**（田口俊樹訳）

1925 心理試験（江戸川乱歩）
1925 屋根裏の散歩者（江戸川乱歩）
1925 人間椅子（江戸川乱歩）
1926 須磨寺附近（山本周五郎）
1926 パノラマ島奇譚（江戸川乱歩）
1927 宇宙からの色（ラヴクラフト）
1929 ダンウィッチの怪（ラヴクラフト）
1929 押絵と旅する男（江戸川乱歩）
1935 三つの棺（カー）
1936 狂気の山脈にて（ラヴクラフト）
1936 曲がった蝶番（カー）
1938 インスマウスの影（ラヴクラフト）
1938 ユダの窓（カー／ディクスン）
1939 死の舞踏（マクロイ）
1941 振り子（ブラッドベリ）
1942 アウトサイダー（ラヴクラフト）
1946 日本婦道記（山本周五郎）
1947 家蠅とカナリヤ（マクロイ）
1950 飛行士たちの話（ダール）
1953 黒いカーニバル（ブラッドベリ）
1957 火星年代記（ブラッドベリ）
1958 あなたに似た人（ダール）
1960 華氏451度（ブラッドベリ）
1963 たんぽぽのお酒（ブラッドベリ）
1964 樅ノ木は残った（山本周五郎）
1964 赤ひげ診療譚（山本周五郎）
1964 刺青の男（ブラッドベリ）
1973 さぶ（山本周五郎）
1964 ながい坂（山本周五郎）
1964 日本アパッチ族（小松左京）
1964 チョコレート工場の秘密（ダール）
1973 復活の日（小松左京）
1973 日本沈没（小松左京）
1980 読後焼却のこと（マクロイ）

柳 田国男
[日本] 1875-1962

ラヴクラフト
[アメリカ] 1890-1937

江戸川乱歩
[日本] 1894-1965

山本周五郎
[日本] 1903-1967

マクロイ
[アメリカ] 1904-1994

カー（ディクスン）
[アメリカ] 1906-1977

ダール
[イギリス] 1916-1990

ブラッドベリ
[アメリカ] 1920-2012

小松左京
[日本] 1931-2011

- 1923 関東大震災
- 1924 レーニン没
- 1925 ロシアの革命家・政治家
- 1926 中国の革命家・政治家の孫文没
- 1929 大正天皇没、世界大恐慌
- 1937 日中戦争
- 1939〜45 第二次世界大戦
- 1946 日本国憲法公布
- 1950 朝鮮戦争勃発
- 1953 ソ連邦の政治家、スターリン没
- 1954 アメリカ、ビキニ環礁で水爆実験
- 1957 EC設立、ヨーロッパ経済共同体Ｅ
- 1959 キューバ革命
- 1963 アメリカのケネディ大統領暗殺
- 1964 東京オリンピック開催
- 1966 中国文化大革命
- 1967 ヨーロッパ共同体ECの発足
- 1968 アポロ11号月面着陸
- 1969 フランス、五月革命
- 1978 日中平和友好条約調印
- 1986 ソ連邦のチェルノブイリ原発事故

43

名作ミステリーに挑戦しよう！　読書案内
②怪奇と恐怖にぞくぞくする本

『おとし穴と振り子』　E・A・ポー作
①講談社「21世紀版少年少女文学館」13『黒猫・黄金虫』（松村達雄・繁尾久訳）　②新潮文庫『黒猫・アッシャー家の崩壊』

①は少年少女向け全集の1冊で、挿絵や注が充実。表題作のほか、『おとし穴と振り子』『モルグ街の殺人』『ぬすまれた手紙』を収録。②は表題作のほか『落とし穴と振り子』『ウィリアム・ウィルソン』など全6編。

『ジーキル博士とハイド氏』　R・L・スティーヴンソン作
①岩波少年文庫（海保眞夫訳）　②集英社「子どものための世界文学の森」31『ジキルとハイド』（下田紀子訳）　③講談社青い鳥文庫『ジキル博士とハイド氏』（加藤まさし訳）　④光文社古典新訳文庫（村上博基訳）　⑤新潮文庫『ジキルとハイド』（田口俊樹訳）

①は中学生以上を対象としている。②③は、子ども向けの抄訳で、図書館で読める。④⑤は一般向け。

『吸血鬼ドラキュラ』　B・ストーカー作
①金の星社、フォア文庫（瀬川昌男訳・文）　②集英社みらい文庫『新訳 吸血鬼ドラキュラ 女吸血鬼カーミラ』（長井那智子訳）　③集英社「子どものための世界文学の森」27『ドラキュラ物語』（礒野秀和訳）　④角川文庫（田内志文訳）　⑤創元推理文庫（平井呈一訳）

①は子ども向けに出来事を時系列に整理し、物語を楽しめるようにした抄訳。スズキコージのイラストも楽しい。図書館で読める。②は『女吸血鬼カーミラ』も収録。③は子ども向けにコラムや注も充実させた全集の1冊。④⑤は一般向けで、④は2014年刊行の新訳。

『透明人間』　H・G・ウェルズ作
①偕成社文庫（雨沢泰訳）　②ポプラポケット文庫（段木ちひろ訳）　③講談社青い鳥文庫（福島正実、桑沢慧訳）　④集英社「子どものための世界文学の森」33（唐沢則幸訳）

①は少年少女向けの完訳版。②〜④はいずれも子ども向けの抄訳で、図書館で読める。

『信号手』　C・ディケンズ作
①ポプラ社「ホラーセレクション」9『英米ホラーの系譜』（金原瑞人編、三辺律子訳）　②講談社青い鳥文庫『魔のトンネル』（白木茂他訳）　③くもん出版「読書がたのしくなる世界の文学」『ほんとうに、怖がらなくてもいいの？』（岡本綺堂他訳）　④創元推理文庫『怪奇小説傑作集3 英米編3』（橋本福夫・大西尹明訳）

①はスティーヴンソンの『びんの悪魔』、ポーの『告げ口心臓』など、古今東西のホラーの名作全5編を収録。②③は少年少女向けで、②は表題作のほか世界の怪談・奇談全7編。③はポーの『黒猫』、ウェルズの『遺産』など全6編。④は一般向けで全10編。

『猿の手』　W・W・ジェイコブズ作
①創元推理文庫『怪奇小説傑作集1 英米編1』（平井呈一訳）　②くもん出版『世界の幻想ミステリー3 ザ・クリーチャー』（江河徹編）　③ポプラ社「Little Selections—あなたのための小さな物語」22『恐怖』（赤木かん子編）　④岩崎書店「恐怖と怪奇名作集 4」（矢野浩三郎訳）

①は一般向けで全9編。②③は少年少女向けで朝の10分読書にも適したアンソロジー。②は全6編、③は全4編収録。④も少年少女向けで、ディケンズの『信号手』など全4編。②〜④は図書館で読める。

『銅版画』　M・R・ジェイムズ作
①くもん出版『世界の幻想ミステリー2 ザ・ミステリアス』（江河徹編）　②創元推理文庫『M・R・ジェイムズ怪談全集1』（紀田順一郎訳）

①はディケンズの『信号係（信号手）』、サキの『開いている窓』など全8編を収録。②は『好古家の怪談集』『アルベリックの貼雑帳』など全17編を収録。

『ダゴン』　H・P・ラヴクラフト作
①創元推理文庫『ラヴクラフト全集3』（大瀧啓裕訳）

①は『ラヴクラフト全集』（全7巻＋別巻上下巻）の第3巻で、表題作ほか全8編と資料としてラヴクラフトの「履歴書」を収録。

『B13号船室』　J・D・カー作
①ポプラ社「Little Selections—あなたのための小さな物語」14『人間消失ミステリー』（赤木かん子編、宇野利泰訳）　②創元推理文庫『幽霊射手—カー短編全集4』

①は少年少女向けで、「密室から人が消える」ミステリー3編収録し、『B13号船室』は②よりの採録。図

書館で読める。②は『B13号船室』などラジオドラマの脚本4編と、予審判事アンリ・バンコラが活躍する短編など全9編を収録。

『南から来た男』 R・ダール作

①岩波少年文庫『南から来た男―ホラー短編集2』（金原瑞人訳）　②ハヤカワ文庫『あなたに似た人（新訳版）Ｉ』（田口俊樹訳）

①は少年少女向けで、表題作のほかウェルズの『マジックショップ』、ブラッドベリの『湖』、スティーヴンソンの『小瓶の悪魔』など全11編を収録。②は『南から来た男』『味』『おとなしい凶器』などダールの短編全11編を収録。

『暗い鏡の中に』 H・マクロイ作

①創元推理文庫（駒月雅子訳）

①は一般向けで、2011年刊行の新訳。同文庫からは、マクロイの『家蝿とカナリア』『殺す者と殺される者』『幽霊の2/3』も出版されている。

『ロケット・マン』 R・ブラッドベリ作

①ハヤカワ文庫SF『刺青の男』（小笠原豊樹訳）

①は一般向けで、1976年刊行の新装版。

『雪女』 小泉八雲（ラフカディオ・ハーン）作

①偕成社文庫『怪談―小泉八雲怪奇短編集』（平井呈一訳）　②講談社青い鳥文庫『耳なし芳一・雪女―八雲 怪談傑作集（新装版）』（保永貞夫訳）　③岩波少年文庫『雪女　夏の日の夢』（脇明子訳）

①～③はすべて少年少女向け。①は八雲の作品集『怪談』『骨董』『日本雑記』などから選んだ全19編を収録。②は20編、③は八雲の怪談12編と、『夏の日の夢』などのエッセイ4編を収録。

『夢十夜』 夏目漱石作

①岩波文庫『夢十夜―他二篇』　②集英社みらい文庫『日本の名作「こわい話」傑作集』（Ｚ会監修）③あすなろ書房『中学生までに読んでおきたい日本文学8　こわい話』（松田哲夫編）

①は一般向けで『文鳥』と『永日小品』も収録。②③は少年少女向け。②は『夢十夜』（第一夜・第三夜）、小泉八雲の作品など全13編。③は全10巻シリーズの1冊で図版・脚注付き。『夢十夜』（第三夜）、江戸川乱歩『白昼夢』、坂口安吾『桜の森の満開の下』、星

新一『鏡』など全16編を収録。図書館で読める。

『遠野物語』 柳田国男作

①岩波文庫『遠野物語・山の人生』　②角川ソフィア文庫『遠野物語―付・遠野物語拾遺』　③角川ソフィア文庫『遠野物語 remix 付・遠野物語』（京極夏彦、柳田国男作）　④河出文庫『口語訳 遠野物語』（佐藤誠輔訳、小田富英注）

すべて一般向け。①は『遠野物語』と『山の人生』を収録。②は『遠野物語』の増補版『遠野物語拾遺』も付す。③は京極夏彦が読み解いた『遠野物語 remix』に原作の『遠野物語』も併載。④は現代口語文訳。

『鏡地獄』 江戸川乱歩作

①岩波文庫『江戸川乱歩短篇集』（千葉俊二編）　②新潮文庫『江戸川乱歩傑作選』　③成美堂出版『はじめてであう日本文学　1　ぞっとする話』（紀田順一郎監修）

①と②は一般向け。①は『鏡地獄』のほか『人間椅子』、『心理試験』など全12編を収録。②は全9編。③は少年少女向けで、小泉八雲や夏目漱石など文豪たちの「ぞっとする話」を10編収録。総ルビで注や解説付き。

『その木戸を通って』 山本周五郎作

①新潮文庫『おさん』　②ちくま文庫『読まずにいられぬ名短篇2』（北村薫、宮部みゆき編）③新潮文庫『日本文学100年の名作　第5巻―百万円煎餅』（池内紀ほか編）　④創元推理文庫『日本怪奇小説傑作集2』（紀田順一郎ほか編）

すべて一般向け。①は表題作はじめ全10編を収録。②はクレイグ・ライス『馬をのみこんだ男』など古今東西の名作短編全18編を収録。編者の解説対談付き。③は星新一の『おーい でてこーい』など全16編を収録。④は横溝正史『かいやぐら物語』ほか戦中・戦後初期の日本の怪奇小説の傑作全16編を収録。

『くだんのはは』 小松左京作

①角川ホラー文庫『霧が晴れた時―自選恐怖小説集』　②新潮文庫『日本文学100年の名作　第6巻―ベトナム姐ちゃん』　③創元推理文庫『日本怪奇小説傑作集3』（紀田順一郎ほか編）

①は表題作ほか全15編を収録。②は1964～73年の名作全12編を収録。③は都筑道夫の『はだか川心中』、星新一の『門のある家』など全17編。

さくいん

あ

アーサー・フランシス（銅版画）…………… 18

アーサー・ホルムウッド（吸血鬼ドラキュラ）
……………………………………………… 10

アタスン（ジーキル博士とハイド氏）……… 8-9

アメリカ人の若者（南から来た男）………24-25

アリス・アッチンスン（暗い鏡の中に）…… 26

●アン・ブルースター（B13号船室）……22-23

イギリス人の女の子（南から来た男）……24-25

異端審問官たち（おとし穴と振り子）……… 6

刺青の男（ロケット・マン）……………… 28

●ウィリアムズ（銅版画）……………………18-19

ウェインライト（B13号船室）……………… 22

ウェルズ（透明人間）………………………12-13

エイブラハム・バン・ヘルシング教授（吸血鬼ド
ラキュラ）………………………………… 10

江戸川乱歩（鏡地獄）………………………36-37

エリザベス・チェイス（暗い鏡の中に）…26-27

奥様（おばさん）（くだんのはは）………40-41

お咲さん（くだんのはは）…………………40-41

●お雪（雪女）………………………………… 30

女（南から来た男）………………………… 24

女（夢十夜）…………………………………32-33

女の山の神（遠野物語）……………………34-35

か

カー（B13号船室）…………………………22-23

母さん（ロケット・マン）………………… 28

ガウディ（銅版画）………………………… 18

カス（透明人間）…………………………… 12

●彼（鏡地獄）………………………………36-37

ギゼラ・フォン・ホーエネムス（暗い鏡の中に）
……………………………………………26-27

キンシー・モリス（吸血鬼ドラキュラ）…… 10

グリーン老人（銅版画）…………………… 18

K（鏡地獄）…………………………………36-37

ケンプ博士（透明人間）…………………… 12

小泉八雲（雪女）……………………………30-31

小間使（鏡地獄）…………………………… 36

小松左京（くだんのはは）…………………40-41

さ

サンディ・ウォジャーズ（透明人間）……… 13

ジェイコブズ（猿の手）……………………16-17

ジェイムズ（銅版画）………………………18-19

●自分（夢十夜）……………………………32-33

ジャック・セワード（吸血鬼ドラキュラ）… 10

ジャファーズ巡査（透明人間）…………… 13

ジョナサン・ハーカー（吸血鬼ドラキュラ）
……………………………………………10-11

白い女（雪女）………………………………30-31

●信号手（信号手）…………………………14-15

スティーヴンソン（ジーキル博士とハイド氏）
……………………………………………… 8-9

ステュワーデス（B13号船室）……………22-23

ストーカー（吸血鬼ドラキュラ）…………10-11

た

ダール（南から来た男）……………………24-25

田原権右衛門（その木戸を通って）……… 38

父（くだんのはは）………………………… 40

連れの男（遠野物語）……………………… 34

ディケンズ（信号手）………………………14-15

敵の大将（夢十夜）………………………… 32

テディ・ヘンフリー（透明人間）………… 13

●父さん（ロケット・マン）………………28-29

●透明人間（透明人間）……………………12-13

トマス・マーベル（透明人間）…………… 12

●ドラキュラ（吸血鬼ドラキュラ）………10-11

鳥御前（遠野物語）…………………………34-35

な

名前のない生物（ダゴン）………………… 20

夏目漱石（夢十夜）…………………………32-33

は

ハイド（ジーキル博士とハイド氏）……… 8-9

ハーバート（猿の手）………………………16-17

バンティング牧師（透明人間）…………… 12

●平松正四郎（その木戸を通って）………38-39

フィアランサイド（透明人間）…………… 13

フォスティーナ・クレイル

●フォスティーナ・クレイル（暗い鏡の中に）
……………………………………………26-27

ブラッドベリ（ロケット・マン）…………28-29

ブリトネル（銅版画）……………………… 18

ベイジル・ウィリング博士（暗い鏡の中に）… 26

●ヘンリー・ジーキル（ジーキル博士とハイド
氏）………………………………………… 8-9

ボー（おとし穴と振り子）………………… 6-7

●僕（くだんのはは）………………………40-41

ぼく（ロケット・マン）……………………28-29

ホール（透明人間）………………………… 13

ポール・ハードウィック（B13号船室）…22-23

ホール夫人（透明人間）…………………… 13

●ホワイト氏（猿の手）……………………16-17

ホワイト夫人（猿の手）……………………16-17

ま

マーガレット・ヴァイニング（暗い鏡の中に）
……………………………………………26-27

マクロイ（暗い鏡の中に）…………………26-27

マーシャル（B13号船室）………………… 22

ミナ（ウィルヘルミナ・マリー）（吸血鬼ドラキュ
ラ）………………………………………10-11

巳之吉（雪女）………………………………30-31

娘（ふさ）（その木戸を通って）…………38-39

むら（その木戸を通って）…………………38-39

茂作（雪女）…………………………………30-31

モリス曹長（猿の手）……………………… 16

や

柳田国男（遠野物語）………………………34-35

●山の神（遠野物語）………………………34-35

山本周五郎（その木戸を通って）…………38-39

幽霊（信号手）……………………………… 14

吉塚助十郎（その木戸を通って）…………38-39

ら

ライトフット（暗い鏡の中に）…………… 26

ラヴクラフト（ダゴン）……………………20-21

ラサール将軍（おとし穴と振り子）……… 6

ラニョン（ジーキル博士とハイド氏）……… 8

※ここでは、本書の中で見出しになっている人名や人物をひろい、本文に出てくるページ数を示しています。
●太字は、大見出しのヒーロー、ヒロイン名、（　）の中は作品名です。

リチャード・エンフィールド（ジーキル博士とハイド氏）……………………………… 8
リチャード・ブルースター（B13号船室）…22-23
ルーシー・ウェステンラ（吸血鬼ドラキュラ）
　………………………………… 10
レイモンド（暗い鏡の中に）………………… 26
老人（南から来た男）………………………24-25

わ

● **わたし**（おとし穴と振り子）…………… 6-7
● **わたし**（ダゴン）……………………20-21
● **わたし**（南から来た男）………………24-25
わたし（信号手）……………………14-15
わたし（ロケット・マン）…………………… 28

典 拠 資 料 一 覧

※ 本書で取り上げた作品の人名や固有名詞などは、下記の書目を参考にしています。冒頭の数字は、本書のページ数を、（　）内は原文の掲載された資料のページを示しています。

6～7ページ＝『黒猫・黄金虫』「21世紀版少年少女世界文学館」13
　E・A・ポー作、松村達雄・繁尾久訳、講談社、2010年（p.270）
8～9ページ＝『ジーキル博士とハイド氏』岩波少年文庫
　R・L・スティーヴンスン作、海保眞夫訳、岩波書店、2002年（p.48）
10～11ページ＝『吸血鬼ドラキュラ』フォア文庫
　B・ストーカー作、瀬川昌男訳・文、金の星社、1999年（p.16）
12～13ページ＝『透明人間』偕成社文庫
　H・G・ウェルズ作、雨沢泰訳、偕成社、2003年（p.67）
14～15ページ＝『英米ホラーの系譜』「ホラーセレクション9」
　C・ディケンズ作、金原瑞人編、三辺律子訳、ポプラ社、2006年（p.108～109）
16～17ページ＝『怪奇小説傑作集1　英米編Ⅰ』創元推理文庫
　W・W・ジェイコブズ作、平井呈一訳、東京創元社、1969年（p.175、2006年新版）
18～19ページ＝『世界の幻想ミステリー2　ザ・ミステリアス』
　M・R・ジェイムズ作、江河徹編、椋田直子訳、くもん出版、2008年（p.61）
20～21ページ＝『ラヴクラフト全集3』創元推理文庫
　H・P・ラヴクラフト作、大瀧啓裕訳、東京創元社、1984年（p.12、1991年13版）
22～23ページ＝『人間消失ミステリー』「Little Selections―あなたのための小さな物語」14
　J・D・カー作、赤木かん子編、宇野利泰訳、ポプラ社、2002年（p.21）
24～25ページ＝『南から来た男―ホラー短編集2』岩波少年文庫
　R・ダール作、金原瑞人編訳、岩波書店、2012年（p.32）
26～27ページ＝『暗い鏡の中に』創元推理文庫
　H・マクロイ作、駒月雅子訳、東京創元社、2011年（p.45）
28～29ページ＝『刺青の男』ハヤカワ文庫SF
　R・ブラッドベリ作、小笠原豊樹訳、早川書房、2013年（p.164、新装版）
30～31ページ＝『怪談―小泉八雲怪奇短編集』偕成社文庫
　小泉八雲作、平井呈一訳、偕成社、1991年（p.24、1996年7刷）
32～33ページ＝『夢十夜―他二篇』岩波文庫
　夏目漱石作、岩波書店、1986年（p.23～24、1992年第15刷）
34～35ページ＝『遠野物語　山の人生』岩波文庫
　柳田国男作、岩波書店、1976年（p.58、1988年第17刷）
36～37ページ＝『江戸川乱歩短篇集』岩波文庫
　江戸川乱歩作、千葉俊二編、岩波書店、2008年（p.260）
38～39ページ＝『おさん』新潮文庫
　山本周五郎作、新潮社、1970年（p.259、2003年58刷改版）
40～41ページ＝『霧が晴れた時―自選恐怖小説集』角川ホラー文庫
　小松左京作、KADOKAWA、1993年（p.52、1994年3版）

……………………【その他の参考資料】……………………

『新 海外ミステリ・ガイド』（論創社）／『海外ミステリー事典』『日本ミステリー事典』『新潮世界文学辞典』『新潮日本文学辞典』（新潮社）／『集英社世界文学大事典』／『世界児童・青少年文学情報大事典』（勉誠出版）／『世界ミステリ作家事典』『幻想文学大事典』（国書刊行会）／『英米児童文学辞典』（研究社）／『日本現代文学大事典』（明治書院）／『新訂作家・小説家人名辞典』（日外アソシエーツ）

47

◆ 監修者紹介

北村 薫（きたむら　かおる）

1949年、埼玉県生まれ。高校で国語を教えるかたわら、89年、『空飛ぶ馬』でデビュー。91年、『夜の蝉』で日本推理作家協会賞。93年から執筆活動に専念。2009年、『鷺と雪』で直木賞受賞。著書に『スキップ』『月の砂漠をさばさばと』『中野のお父さん』など。

有栖川有栖（ありすがわ　ありす）

1959年、大阪府生まれ。書店勤務を経て、89年、『月光ゲーム』でデビュー。作風から「日本のクイーン」と呼ばれる。2003年、『マレー鉄道の謎』で日本推理作家協会賞、2008年、『女王国の城』で本格ミステリ大賞受賞。著書に『双頭の悪魔』『鍵の掛かった男』など。

NDC 019
監修　北村 薫
　　　有栖川有栖
北村薫と有栖川有栖の
名作ミステリーきっかけ大図鑑
　── ヒーロー＆ヒロインと謎を追う！
②凍りつく！　怪奇と恐怖
日本図書センター
2016年　48 P　29.7cm × 21.0cm

◆ 本文イラスト

石川あぐり（40〜41頁）／いずみ朔庵（32〜33頁）／岩田健太朗（20〜21頁）／
内山大助（6〜7頁）／大島加奈子（30〜31、38〜39頁）／
オオシマソウスケ（8〜9、36〜37頁）／KASHU（12〜13頁）／
くまのまりこ（34〜35頁）／佐川明日香（28〜29頁）／つだなおこ（16〜17、26〜27頁）／
中野耕一（14〜15頁）／苗村さとみ（22〜23頁）／新倉サチヨ（24〜25頁）／
西野由希恵（10〜11頁）／橋本京子（18〜19頁）

◆ 本文テキスト

有田弘二／井本旬子／小林明子／瀬川景子／藤本健嗣／山本啓美／若森収子

◆ デザイン

坂本公司＋渡邉薫

◆ 構成・編集・制作

株式会社 見聞社：大村順子／渡辺慶子

◆ 編集協力

北川健之／北川すみ／野々内裕佳子

◆ 企画編集

日本図書センター：福田 恵／村上雄治

北村薫と有栖川有栖の名作ミステリーきっかけ大図鑑──ヒーロー＆ヒロインと謎を追う！
第2巻 凍りつく！　怪奇と恐怖

2016年1月25日　初版第1刷発行

[監　修] 北村 薫
　　　　 有栖川有栖
[発行者] 高野総太
[発行所] 株式会社 日本図書センター　〒112-0012　東京都文京区大塚 3-8-2
　　　　 電話　営業部 03（3947）9387　出版部 03（3945）6448
　　　　 http://www.nihontosho.co.jp
印刷・製本　図書印刷 株式会社

2016 Printed in Japan
乱丁・落丁本はお取り替えいたします。

ISBN978-4-284-70087-0（全3巻セット）
ISBN978-4-284-70089-4（第2巻）